Chabloz Chabot Chaffey Chafi Chagnon Chaillez Chaillou Chainé Chaîné Chainey Chalifour Chalifoux Chaloup Chalut Chamaillard Chamaillars Chamberland Chamney Chamorro Champagne Champigny Champoux Champs Chan Chandler Chandonnet Chantal Chantry Chanu Chau Chapados Chapdelaine Chaperon Chapman Chapuis Chaput Charboneau Charbonneau Chardon Charest Charrette Charland Charlebois Charles Charlesbois Charlette Charpentier Charrier Charron Chartier Chartrand Chartré ChaseChassay Chassé Chasse Chateauneuf Châteauneuf Chatel Châtelain Chatelain Chatelois Chatigny Chatillon Chaume Chaussé Chauvette Chauvin Chavez Chavez-Rejas Chayer Cheaito Checroune Chenail Chénard Chenard Chenel Chenette Chenevert Chênevert Cheney Chenier Chénier Cheongton Cherhal Chesnichesky Chevalier Chevarie Chevrefils Chèvrefils Chevrette Chevrier Chevron Chiasson Chicoine Chihane Chionis Chisholm Chisson Choinière Cholette Choquet ChoquetteChouinard Chow Chrétien Christian Christie Churchward Cianflone Cicci Cillis Cimon- Cinq Mars Cinq Mars Ciotola Circé Circe Claes Claeys Clairmont Claprood Clar Clark Clarke Clarkson Claude Claveau Clavet Clavette Cleary Cleaver Clément Clement Clermont Cléroux Cleuziou Cliche Clin Clouâtre Clouatre Cloutier Clow Clusiault Cnudde Coache Coallier Coates Coccaro Codaire Codère Coderre Coghlan Cognac Cohen Aknine Colaméo Colameo Colangelo Colassin Colette Colic Colin Collard Colle Collerette Collette Collin Collinet Collins Colorado Colpron Colubriale Comeau Comiré Comtois Conan Conforti Conner Conroy Constant Constantineau Contant Contarini Conti Conway Cook Cooke Cookman Coombs Cooney Cooper Coote Copeland Copping Corbeil Corberand Corbière Corbin Corcoran Cordeau Cordier Corey Cormier Corneau Cornec Corniati Cornut Correia Corriveau Corson Cosetti Cosgrove Cossette Coste Costello Côté Cote Coté Cotey Cotnoir Cotton Couch Coudé Couder Coudray Couillard Coulombe Coupal Courchaine Courchesne Courcy Cournoyer Couroux-Smith Coursol Courteau Courteix Courtemanche Courtois Courval Courville Cousineau Coutu Couture Couturier Couvrette Coveyduck Coward Cracklen Craig Crawford Crcek Creller Crépeau Crepeau Crépeault Crete Crête Crétien Crève-Cœur Crevier Crichlow Crispin Crispo Crochetière Croft Croisetière Croisetiere Croisile Cromp Crosby Crosnier Crosto Croteau Croussette Croze Cseh Cubeddu Cuerrier Cuillerier Cullen Cummings Curadeau Curé Curley Curry Curtis Cusson Cusson-vanier Custeau Cutler Cyr Cyr-Gatien Czerwony

Dachs Dacos Dacosta D'Addio Da Estrela Dagenais Dageneais Dagesse D'Agostini Dahan Daigle D'Aigle Daignault Daigneault Dain Dajenais Dalcourt Daley Dalgleish Dallaire Dalpé Dalpe Dalphond Damal D'Amato Dambrine D'Ambroise Dame Damin D'Amour D'Amours D'amours Damphousse Dancause Dandavino Dandoy Dandurand Daneau Daneault Daniel Danis D'Anjou Dansereau Daoust D'Aoust D'Aragon Daraiche Darby Darbyson Darche Dargent Dargis Darrah Darsigny Dartman Darveau Darwish Dasilva Daskalides Dassi Dassylva D'Astous Dastous Dattilio D'Attilio Daubois Daubois-Wauth Daudelin Daunais Daunes Dauphin Dauphinais Dauplaise Dauray Daure D'Auteuil Dautray Daveau Davey Daviau Daviault David Davidson Davies Davignon D'Avignon Davino Davis Davrieux Davrios Day Dea De Abreu Deakin De Almeida Dean DeAngelis Dear De Beaujour Debeaujour de Beaujour-Deshaies De Bellefeuille de Bellefeuille Deblois DeBlois De Blois Debut Decamps Décarie De Carufel Decary Decelles Decembry De Champlain De Chantal Dechantgny De Coste De Cougny De Courval Decristofaro Defond Defoy De Foy De Gagné Degarie Dégarie Degeer De Glandon Degn Degongre Degrace De Grace De Grandpré De Guille Deguire De Guise Dehm De Kinder De La Boissiere De La Bruère De Lachevrotière De Ladurantaye De La Durantaye de Ladurantaye DeLaDurantaye Deladurantaye De ladurantaye De Lafontaine Delage Delagrave De Lamirande Deland Delangis Delarosbil Delarue Delcourt Delellis De Leo De Léon Deleseleuc Delfosse Delgado Delillo Delinelle Delisle De Lisle Delmotte De Longchamp De Longue Epée De Lorenzi Delorme Delsaer De Luca Delude Delvaux Del Vecchio De Maine De Marbre DeMargerie Demers Demeules Demkowich Demontigny De Montigny Dempster DeMunck De Munck Demunck Denault Deneault Deneuville Denevers Denicourt Deniger Denis Denischuck Denison Dennicourt Dénommé Dénommée Denommee Denoncourt Deom De Passillée Depatie Depault Dépelteau Deperre Déplanche Depont Dequoy Deraiche Derail Deraps Derasp Deraspe Derast Derbyson De Repentigny Derick Dermine Derome De Rosa Derradj Derreche Derrick D'Errico Derrien Déry Desabrais Désailliers de Sainte-Marie de Sainte Marie De Santis De Santos Desaulniers Désaulniers Desautels Désautels Des Autels Desbiens Desbois Descary Deschambault Deschambres Deschamps Deschatelets Deschênes Deschenes Descormiers Descoteaux Des Coteaux Descroix De Senneville De Serres De Sève Desforges Desfosses Desfossés Desgagné Desgagne Desgnagnés Desgrange Des Granges Desgroseilliers Des Groseilliers Deshaies Desharnais Deshotels Desîlets Désilets Desilets Desjardins Desjarlais Desjourdy Deslandes Deslaurier Deslauriers Deslières Deslippe Delippes Desloges Deslongchamps Desmaraie Desmarais Desmarchais Desmeules Desnoyers Désormeau Desormeaux Désormeaux Desormiers Désormiers Desormiers-hébert De Sourcy Désourdy Desourdy De Sousa
Despars Despatie Despatis Despelteau Despins Desplante Desplantie Despres Després
Desrochers DesRochers Desroches Desrosiers Des Rosiers Desruisseaux Des Ruisseau
Dessureault Desteredjian Desveaux Desy Désy Detongre Deveau Deveault Develey
Villaire Devin Devost Devrœde Dewar Dewatterlot Deweer Dextradeur Dextra
Dextrateur Dextraudeur Dextraze Dey Dezainde Déziel Deziel Dhaunier D'Hauterive Dh
Diamantakos Diamond Dias Diaz Di Barrat Di Bartolo Di Benedetto Di Blasio Dicaire
Dickey Dickson Diemer Dietrich Di-Genova Dignard Digue Dillinger Di Loreto Di Mu
Dinelle Dingman Dinner Dinunzio Dion Dione Dionne Diorio Diot Diotte Dipalma Di Pa
Diraddo Ditata Di Tomasso Dixon Djordjevic Dmytryshyn Dobson Do Couto Docquier Do
Dodier Doherty Doire Doiron Dolbec Dolce Dollo Domenicano Domingue Dominik D
Dompierre Domtpierre Donais Donaldson Donatelli Donckerwolcke Doncsecz Donis
Dontigny Dorais Dorazio Doré Dorion Dorsett Dorval Doskas Dosmann Dostie Doucet Doucette Douchin Douet Douglas Douillard Douville Downs Doyle Doyon Dozois Drago Dragoev Dragon Drainville Drapeau Draper Drasse Drayan Drdak Drennan Drescher Drew Driessens Drinkwater Driver Drogue Drolet Drouginsky Drouin Duarte Dubé Dube Dubeau Dubey Dubocquet Dubois Dubord Dubray Dubreuil Dubrule Dubuc Dubuisson Ducap Dukas Duchaine Ducharme Duchesne Duchesneau Duclos Dudemaine Dudley Dueck Dufault Duff Duffield Duffina Dufort Dufour Dufresne Dugal Dugas Dugré Du Grenier Duguay Duhaime Duhamel Dulac Dulong Dulude Dumaresq Dumaresque Dumas Dumberry Dumesnil Dumonceau Dumont Dumontet Dumontier Du Mouchel Dumouchel Dumoulin Dumulong Dunberry Duncan Dunn Dunster Dupasquier Dupaul Dupéré Dupere Duperron Duplantie Duplantis Duplessis Dupond Dupont Dupras Dupré Dupuis Dupuy Duquet Duquette Duran Alvarez Duranceau Durand Duranleau Durant Durigon Durivage Durning Durocher Du Sablon Du Sault Duscheneau Dussault Dusseault Dusseaux Dussureault Duteau Dutertre-Delmarcq Dutil Dutrisac Duval Duveau Duvinage Dy Dyer Dyke

Eastwood Edger Édouin Edwards Ef Allen Egglefield Egglfield Ekemberg Elasri Élément Element Elhamarneh Eliacin Élie Elisabeta Ellerton Ellis Elmaazaoui Elnesr Elvé Elvidge Ely Émard Emerick Emery Émond Encontre Engberg England Englanp English Eppe Éric Ermel Ernst Espino Esses Essiambre Essoulimani Éthier Etman Evanko Everell

Faber Fabi Fabre Fabry Fachinetti Fafard Fagardo Fagnant Faille Falardeau Falcon Falle Fallon Falls Famelart Fankhauser Fanning Farand Fardeau Farella Farley Farmer Farnsworth Farrar Farrell Fastré Fattore Faubert Faucher Faucheux Fauchon Faust Fauster Fauteux Fauvel Favre Favreau Fay Fecteau Fee Feeley Feeny Fell Feller Felton Felx Fenoll Ferdais Ferguson Fergusson Ferko Ferland Ferlatte Fernande Fernandes Fernandez Ferrand Ferrandez Ferraro Ferrin Ferris Ferron Festa Fex Field Fielding Fierimonte Fifild Figiel Filiatrault Filiatreault Filion Filippini Fillion Fillioux Filon Fils- Ainé Filteau Fincke Finlay Finley Finnie Fiola Fiore Firlej Fischer Fiset Fisette Fitzback Fitzpatrick Flachaire Flageole Flamain Flamand Flamez Flammia Flanagan Fleming Fleurant Fleurent Fleury Flibotte Florent Flückiger Fluet Flutie Flynn Foisi Foisy Foisy-Marquis Foley Fonseca Fontaine Fontain Forand Forbes Forcier Forest Forget Forgette Forgues Forney Forte Forté Fortier Fortin Foster Fouarge Foucault Foucher Foucrault Fougère Founier Fourestié Fournel Fournier Fox Foy Fradet Fradette Fragapane Francescon Francezon Franchuk Francoeur François Francx Franklyn Franz Frappier Fraser Fréchette Fredette Frédette Frégault Frégeau Fregeau French Frenet Frenette Frenière Freve Frey Freyd Frezeau Frigault Frigeault Frigon Froidebis Froidebise Froment Frost Fryer Fugère Fullum Funke Funkel Furois Fustos Fyfe

Gabanna Gabba Gaboriau Gaboriault Gaboury Gabriel Gachet Gadbois Gadeyne Gadoua Gadoury Gagné Gagne Gagner Gagnier Gagnon Gaillard Gaillot Galaise Galarneau Galbraith Galipeau Gall Galland Gallant Gallop Galluchon Gamache Gambier Gamelin Gangin Ganin Gaouette Garand Garant Garault Garceau Garcia Gardes Gardiner Gardzinski Gareau Gariépy Gariepy Garneau Garnis Garon Garreaud Garwood Garzon Gasc Gascon Gasse Gasser Gatien Gatineau Gaucher Gaudet Gaudette Gaudine Gaudrau gaudrault Gaudreau Gaudreault Gaudry Gaul Gaulin Gaumond Gaury Gauthier Gautreau Gauvin Gauvreau Gavard Gay Gaydier Gaydos Gazaille Géhin Gélinas Gelinas Gélineau Gelineau Gelly Gemme Gendre Gendreau Gendreault Gendron Geneau Généreux Genesse Genest Génier Genier Genois Gentet Gentile Geoffrion Geoffroy Georges Gepler Gerald Gérard Gerard Gérin Gérin-Lajoie Germain Germier Geromin Gerszon Gervais Gervasi Geurts Gévry Gevry Gheorghescu Ghérardi Gherardi Ghiran Ghostine Giachetti Giard Giasson Gibeau Gibeault Gibson Gignac Giguère Giguere Gilain Gilbert Giles Gilissen Gill Gillam Gillenwater Gillespie Gillot Gilman Gilpin Gingras Gionet Giovenazzo Giovinnini Girard Girardeau Girardi Girardin Giraudeau Girondeaud Gironne Girouard Giroux Giugovaz Gladu Glashan Glaude Glazer Gleeson Glenn Globensky Gloutnay Glover Gluckman Gobeil Gobeille Godbout Goddard Godeau Godet Godin Godmer Godon Gohier Goineau Gola Goldberg Goldstein Gollo Gomçalves Gomeau Gomes Gomez Gomory Gonneville Gonthier Gonzalez Goora Gordon Gore Gorham Gorman Gosselin Gosset Gosteau Goto Gottfredsen Goudreau Goudreault Gougeon gougeon Gouger Gouin Goulet Goulet simonneau Goupil Gour Gourd Gourdin Gourgue Gousy Gouvela Gouy Govaerts Goyer Goyete Goyette Grafton Graindler Gram Grammatikak Grandbois Grandchamp Grandillo Grand'Maison Grandmaison Grandmont Granger granger Grant Grasselli Gravel Graveline Gravelle Gray Grebenshchikkov Greco Green Greendale Greene Greer Greffe Gregersen Grégoire GrenierGrenon Grerot Grève Grgurovic Griard Grignon Grimard Grimes Grimsom Grinham Grise GriséGrizenko Grogan Groleau Grondin Gros Grosser Grossinger Grosso Grothe Groulx Grover Grun Grusslin Guaiani Guay Guégano Gueissaz Guenet Gunette Guénette Guerard Guérard Guérault Guérette Guerette Guerin Guérin Guérineau Guernon Guertin Guévremont Guey Guibault Guibord Guichard Guihéneux Guilbault Guilbeault Guilbert Guilette Guillemette Guillet Guillette Guillot Guillotte Guillmain Guilmette Guimond Guimont Guinan Guinard Guindon Guinois Guiot Guitard Guité Guittier Gulyas Gunes Gunn Gushue Guta Gutsche Guy Guzzo Gyarmati

Haché Hacherel Hachey Hachez Hackett Hade Hadley Haineault Haines Haiens Halde Haldemann Haley Hall Hallal Hallé Hallée Halleux Hallman Halpin Haman Hamann Hamard Hamati Hamel Hamelin Hamilton Hammarenger Hammarrenger Hammond Hanak Hancock Hand Handfield Handchin Hanigan Hanisch Hanna Hannah Hannam Hansen Haran Harbec Harbeck Harbour Harcourt Harding Hardy Harel Harling Harmer Harnois Harpelle Harpur Harrand Harris Harrison Harrisson Hartley Hartnell Harvey Hasel Hatin Hatotte Hatzizaphiris Hautain Hauteclocque Havill Hawley Hayes Hazel Hébert Hebert Hefti Helg Helie Hélie Helmond Hemmings Hemond Hémond Hempel Hénault Henault Henderson Héneault Heng Henley Henneman Henri Henrichon Henry Henssen Héon Hernandez Heroux Héroux Herrera Herron Herse Hertel Hervieux Hess Hétu Hevey Hewer Hewitt Heiden Heylingen Heyne Hicks Higginbotton Higgins Hikspoors Hill Hillen Himbeault Himschoot Hince Hinse Hinton Hirschi Hislot Hlipka Ho Hoang Hodak Hodel Hodgson Hoffman Hoffmann Hogg Hogue Hogues Holden Holmes Holt Holzgang Homier Hooper Hope Horan Horne Horrobin Horth Horwood Hossu Hotakorzian Hotte Houde Hould Houle Houlvigue Hourlier Houset Hovington Howie Hruby Hrycaj Hu Huang Huard Hubar Huber Huberdeau Hubert Huckle Hudon Hudrisier Hudson Huet Hughes Hui Hullen Hulme Humanuik Hume Humenuik Humphreys Huneault Hunter Huot Hupée Huppé Hurlbut Hurteau Hurtibise Hurtubise Hussel Husson Hutchison Huyghe Huynh

Ibraimoski Idir Iezzi Ifrah Igreda Iguay Iler Iliescu Imbeau Imbeault Imgram Imhoff Inizan Inkel Inniss Intrevado Invia Ireland Isabel Isabelle Iscla

Jack Jackson Jacob Jacobs Jacobsen Jacques Jacquet Jadah Jadeau Jaggi Jahnke Jakimiec Jalbert Jam Jamali James Jancar Janelle Janigan Jankowski Jannelle Janson Janssens Jansson Januszewski Janvier Jaquet Jarest Jarry Jasmin Jastremski Jaubart Jaume Jauniaux Jean Jeandet Jeandroz Jean-Legros Jeanneau Jeanneret Jeannotte Jeanson Jeffrey JefJef Jell Jenkins Jenkinson Jenkyn Jenneau Jequel Jetté Jetten Jeune-Homme Jeunehomme Jeuris Jin Joanisse Joannette Joannisse Jobin Jochems Jodoin Johnson Johnston Jolicœur Jolin Jolivet Joly Jomphe Jooss Joré Jorge Joseph Joubert Jourdain Jourdenais Journault Journeault Jouvin Jovin Joyal Juair Juaire Jubert Jubinville Jugeau Juhasz Julien Juneau Jung Junquet Jussaume Juteau Jutras

# Saint-Jean-sur-Richelieu 360°

## Ville et Région

Denis Tremblay - Roger Paquin

*À ma mère*
*et à la mémoire de mon père*
*qui m'ont transmis l'amour de la nature*
*et la persévérance de bien faire les choses*

*Denis*

*À Christine*
*qui donne un sens à ma vie*

*et à Nicolas-Mallik, Paul-André*
*et François-Xavier*
*qui sont notre fierté*

*Roger*

*Dédicace*

Photographies : Denis Tremblay
Textes : Roger Paquin

Conception : Denis Tremblay et Roger Paquin
Conception graphique : Denis Tremblay
Mise en page des photos : Denis Tremblay
Mise en page des textes : Roger Paquin
Avant-propos : Pierre Baillargeon
Traduction anglaise : Johane Gagnon
Révision et correction des textes : Johane Gagnon
Secrétariat et administration : Micheline Hamelin Tremblay
Photos anciennes : Fonds Pinsonneault & archives Moreau



Imprimé et relié au Québec, Canada par
Les impressions IntraMédia inc.



ISBN 2-9807513-1-6
ISBN 978-2-9807513-1-8

Dépôt légal - 2006
Bibliothèque et Archives nationales du Québec
Bibliothèque et Archives Canada

**Catalogage avant publication de Bibliothèque et Archives Canada**

Tremblay, Denis

Saint-Jean-sur-Richelieu, 360° : ville et région

Comprend des réf. bibliogr.
Textes en français et en anglais.

ISBN-13: 978-2-9807513-1-8
ISBN-10: 2-9807513-1-6

1. Saint-Jean-sur-Richelieu, Région de (Québec) - Ouvrages illustrés. 2. Saint-Jean-sur-Richelieu (Québec) - Ouvrages illustrés. 3. Saint-Jean-sur-Richelieu, Région de (Québec) - Histoire. I. Paquin, Roger. II. Titre.

FC2945.R55T73 2006 971.4'3800222 C2006-941076-3F

**Library and Archives Canada Cataloguing in Publication**

Tremblay, Denis

Saint-Jean-sur-Richelieu, 360° : ville et région

Includes bibliographical references.
Text in French and English.

ISBN-13: 978-2-9807513-1-8
ISBN-10: 2-9807513-1-6

1. Saint-Jean-sur-Richelieu Region (Québec) - Pictorial works. 2. Saint-Jean-sur-Richelieu (Québec) - Pictorial works. 3. Saint-Jean-sur-Richelieu Region (Québec) - History. I. Paquin, Roger. II. Title.

FC2945.R55T73 2006 971.4'3800222 C2006-941076-3E

# Saint-Jean-sur-Richelieu 360°

## Ville et Région

Denis Tremblay - Roger Paquin

Quand les auteurs m'ont demandé d'écrire l'avant-propos de ce livre ambassadeur à titre de citoyen engagé dans la communauté du Haut-Richelieu et comme témoin de l'essor formidable de notre milieu sur plusieurs générations, j'ai accepté avec émotion et enthousiasme.

De longue date, depuis l'avant-dernier siècle en fait, la lignée dont je suis est engagée dans le développement de Saint-Jean-sur-Richelieu, ville et région. Je me souviens de mon grand-père qui fut agriculteur, puis commerçant de glace et de bois, et enfin entrepreneur en construction de routes. Cette conjugaison de l'amour de la terre et de l'esprit d'entreprise est typique des gens d'ici. Sur ses genoux, j'ai appris très jeune l'importance de la détermination quand il m'a relaté ce que son père lui avait raconté du grand feu de 1876 et du courage avec lequel on avait ensuite reconstruit la ville. Mon père a consolidé l'entreprise familiale en pratiquant l'innovation technologique, le respect des employés et l'implication dans le tissu social, lui qui a été le premier maire de Saint-Luc. Pour ma part, j'ai tablé sur l'importance de l'instruction, du travail d'équipe et de la complémentarité des compétences. Ce parcours illustre parfaitement, me semble-t-il, la façon toute johannaise de conduire les affaires.

Si, dans le Haut-Richelieu, nous avons toujours pratiqué la dignité de créer la richesse nous-mêmes, nous avons aussi cultivé la fierté de ne laisser personne en arrière. Nous aimons donner un sens civique à la prospérité, encourager qu'elle s'illustre dans l'art et la culture, qu'elle se traduise par la sérénité civile et la joie de vivre citoyenne. J'en suis persuadé quand je vois ma fille et mon fils prendre la relève des affaires, s'intégrer à la vie culturelle du milieu, s'engager dans la communauté et même s'impliquer à leur façon dans l'avenir national.

Pour ma part, quand on parle de notre région comme étant la Vallée-des-Forts, je laisse les autres s'imaginer que cela réfère aux vestiges de notre passé militaire et je souris parce que, pour moi, les Forts, ce sont les gens d'ici! De ce point de vue, l'expression évoque certes un peu notre passé glorieux, mais elle annonce surtout notre avenir prometteur! À ce moment de mon âge où je regarde en arrière, je constate les formidables assises que nous nous sommes données. Je contemple aussi les générations actives s'employer au développement de notre milieu riche et fraternel, mais surtout j'entrevois un avenir des plus prometteurs.

Finalement, je suis convaincu que vous serez très heureux, tout comme moi, d'en apprendre plus sur notre milieu et de pouvoir admirer à loisir les plus belles photographies de notre magnifique région du Haut-Richelieu, réalisées par un artiste reconnu mondialement pour ses chefs-d'œuvre panoramiques.

*Pierre Baillargeon,*

entrepreneur et fier citoyen
de Saint-Jean-sur-Richelieu, ville et région

When the authors asked me to write the foreword of this ambassadorial book, it is with excitement and enthusiasm that I agreed to do so as a citizen committed to the community of the Haut-Richelieu and as a witness of the tremendous growth of our environment over several generations.

For a long time, actually since the 1900's, my lineage has been committed to the development of the city and region of Saint-Jean-sur-Richelieu. I remember my grandfather who was a farmer, then a merchant of ice and wood and finally a road contractor. The combination of love for the land and spirit of enterprise is typical of the people in this area. Early in life, sitting in my grandfather's lap, I learned the importance of determination listening to what his father had told him about the great fire of 1876 and the courage it took to rebuild the city. My father strengthened the family business by using new technologies, respecting his employees and being involved in the social fabric. He became the first mayor of Saint-Luc. Personally, I built upon the importance of schooling and teamwork based upon each other's complementary skills. This path demonstrates perfectly, in my view, the way we do business here.

In the Haut-Richelieu region, we always had the dignity of creating wealth ourselves, but we also cultivated the pride to never leave someone behind. It is important for us to bring a sense of civic responsibility to prosperity, that it might benefit art and culture and bring serenity and joie de vivre to all. I am convinced of this when I see my daughter and my son take over the business, become part of their cultural environment and, in their way, even become involved in our national future.

According to me, when we speak of our region as the "Vallée-des-Forts", I let people think that it refers to the remains of our military past and I smile, because for me the "forts" are the people of this region. From that perspective, the expression surely evokes our glorious past but mostly heralds our promising future! At this time in my life, when I look back, I can see the wonderful foundation that we have given ourselves. I gaze at the active generations who work on the development of their rich and fraternal environment, but chiefly I foresee a most promising future.

Finally I am convinced that, like me, you will be very happy to learn more about our community and to contemplate at your leisure the most beautiful pictures of our magnificent region of the Haut-Richelieu, created by an artist acknowledged internationally for his panoramic masterpieces.

# Invitation

**Bienvenue**

Au fil du temps, au fil de l'eau,
Sur les berges fertiles de la Richelieu,
Sous le couvert de l'érable et du caryer,
Nous avons pris racine en sol généreux,
Nous y avons bâti notre demeure,
Notre prospérité et notre joie de vivre.

Nous avons fait l'histoire
Comme nous construisons l'avenir.
Parce que les gens d'ici sont gens de conviction,
Gens de commerce et d'industrie,
Gens de culture et de fierté,

Et parce que nous sommes aussi d'accueil et d'ouverture,
Consentez à partager nos splendeurs et notre hospitalité.
Bienvenue dans Saint-Jean-sur-Richelieu,
Ville et région.

*Micheline Hamelin-Tremblay*

---

**Bienvenidos**

*A través del tiempo, a través de las aguas,*
*Sobre las orillas fértiles del Richelieu,*
*A la sombra del arce y del nogal,*
*Hechamos raices en esta generosa tierra,*
*Y construimos nuestro hogar,*
*Nuestra prosperidad y nuestra alegria de vivir.*

*Nosotros hicimos la historia*
*Como construimos nuestro futuro.*
*Porque la gente de aqui es gente de convicción,*
*Gente de commercio y de industria,*
*Gente de cultura y de orgullo,*

*Y porque somos también acojedores y abiertos de espiritu,*
*Compartan nuestros esplendores y nuestra hospitalidad!*
*Bienvenidos a Saint-Jean-sur-Richelieu,*
*Ciudad y región.*

*Alicia Isola, Alberto Isola,*
*Teresa Pilon y Luciano Vidali*

---

**Welcome**

As time goes by, drifting with the current
On the fertile banks of the Richelieu,
In the shade of maple and hickory,
We have taken root in a generous soil,
We have built our homes,
Our prosperity and joie de vivre.

We have made history
As we build the future.
Because we are people of conviction,
People of trade and industry,
People of culture and pride,

We are a welcoming people who open our doors
To share our splendour and our hospitality.
Welcome to the city and the region,
Welcome to Saint-Jean-sur-Richelieu.

*Sheila and George Crawford*

---

**Bem-vindo**

*No fio do tempo, no fio da agua,*
*Sobre as ribanceiras fértiles do Richelieu,*
*Cobertas de ácer e de nogueira,*
*Fazendo lembrar nossas matas de sobreiros,*
*Deitamos raizes em terra generosa,*
*Construimos nossa morada,*
*Créamos nossa prosperidade e nossa alegria de viver.*

*Fizemos a história*
*Como construímos o futuro.*
*Porque a gente daqui são pessoas de valor e de convicção,*
*Pessoas de comércio e de indústria,*
*Pessoas de cultura e de altivez,*

*E porque somos também gente abertas que sabem acolher,*
*Consenti a dividir o nosso esplendor e a nossa hospitalidade.*
*Bem-vindo seja à Saint-Jean-sur-Richelieu*
*Cidade e região*

*Fernande Tavarès e Maria Vieira*

# Introduction

Présenter Saint-Jean-sur-Richelieu, ville et région, c'est parler de plus de 100 000 personnes fières, des gens de labeur, de talent, de racine et d'ouverture. C'est aussi décrire les beautés d'un milieu riche et serein.

La ville occupe le 11e rang au Québec. Elle possède tous les attributs d'une grande agglomération, mais elle demeure grandeur nature. Sa prospérité repose sur une population créative et une activité économique des plus variées. C'est un chef-lieu en Montérégie notamment à cause de son rôle d'interface naturelle entre Montréal et les États-Unis. Qu'elle se présente comme ville garnison ou comme capitale des montgolfières, Saint-Jean-sur-Richelieu est surtout un endroit où il fait bon vivre.

La région, c'est d'abord la Municipalité régionale de comté Haut-Richelieu (MRC). Ce sont quatorze villes et villages aussi coquets que prospères dont les personnalités individuelles se conjuguent en un fier tissu d'appartenance socio-économique. C'est aussi une zone d'influence qui déborde largement ce périmètre immédiat. Enfin, c'est l'interface naturelle entre Montréal, notre métropole, et les états adjacents de New York et du Vermont.

Nous vous invitons maintenant à parcourir les lieux et à rencontrer nos amis, les gens d'ici.

*Denis et Roger*

To present the city and region of Saint-Jean-sur-Richelieu, we need to talk about its more than 100 000 proud people; people of labour, talent, root and openness. We also need to describe the beauties of a rich and serene environment.

The city holds the eleventh place in Quebec. It has all the attributes of a great urban centre but remains life-sized. Its prosperity relies on a creative population and a most varied economic activity. It is a major city in the Montérégie, notably because of its role of interface between Montréal and the United States. Whether presented as a garrison city or a hot air balloon capital, Saint-Jean-sur-Richelieu is mainly a place where life is pleasant.

The region is first and foremost the Haut-Richelieu Regional County Municipality (RCM), comprising fourteen charming and flourishing cities and villages, where their individual personalities combine themselves to create a proud fabric of socio-economic belonging. It is also an influential area which greatly overflows its boundaries, and the natural interface between Montréal, our metropolis, and the neighbouring states of New York and Vermont.

We invite you now to roam this place and to meet our friends, the people living here.

Chapitre 1

# La Richelieu

Il y a aujourd'hui, au sud du Québec, une région prospère où le temps coule paisiblement le long d'une rivière magnifique qui nourrit un sol fertile et des gens enracinés, une population fière, occupée à semer la joie de vivre et à construire l'avenir. C'est Saint-Jean-sur-Richelieu, ville et région, et son joyau, la Richelieu.

De tout temps, la vie de ce territoire est tributaire du cours d'eau majestueux. Quand Samuel de Champlain et les autres découvreurs européens l'ont remonté à compter du début du XVIIe siècle, ils l'ont désigné Rivière-aux-Iroquois. En effet, les Agniers ont depuis toujours parcouru ces eaux poissonneuses, cette forêt giboyeuse, ce sol fertile et ces lieux stratégiques permettant une bonne défense du territoire. Pour les mêmes raisons, les nouveaux arrivants se sont implantés ici.

La rivière Richelieu a d'abord été notre première route et elle a dessiné l'axe de notre vie commerciale. À compter de 1665, nous avons organisé la défense du pays sur ses rives et la présence militaire n'a pas connu de discontinuité depuis. Nous avons exploité le couvert forestier avoisinant : les érables sont devenus nos palissades, nos casernes et nos blockhaus, puis nos maisons et nos meubles, nos barges et nos bateaux. Des chênes bleus coupés et redressés, nous avons fait nos mâts. Nous avons défriché et essouché la terre gleysolique et nous cultivons encore ce sol fertile. Les argiles sont devenues poteries. Peu à peu, les hameaux sont devenus villages et le chef-lieu s'est fait capitale régionale.

Nous sommes donc d'abord rivière; le reste de notre vie en découle et s'y abreuve.

# The Richelieu River

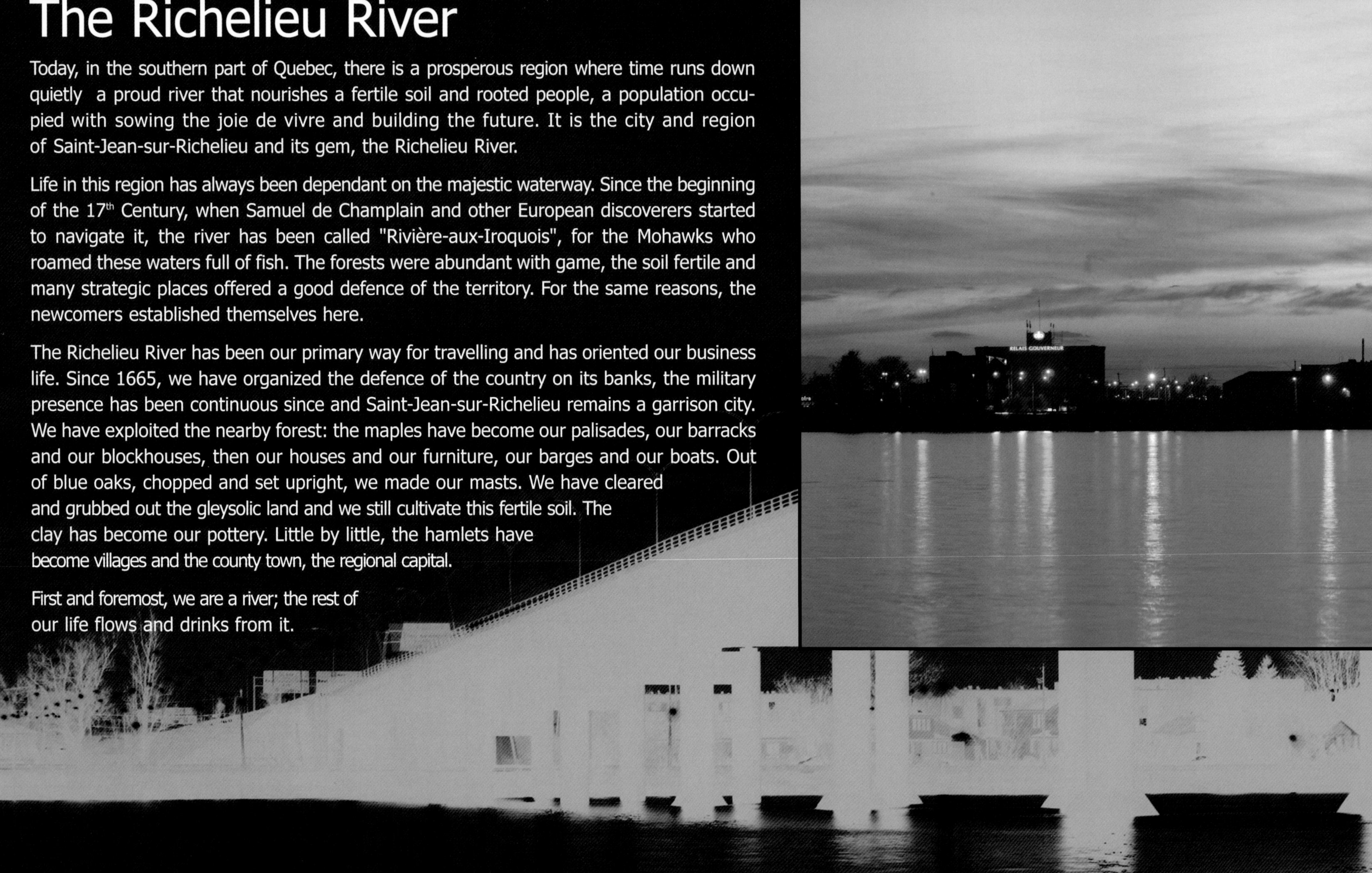

Today, in the southern part of Quebec, there is a prosperous region where time runs down quietly  a proud river that nourishes a fertile soil and rooted people, a population occupied with sowing the joie de vivre and building the future. It is the city and region of Saint-Jean-sur-Richelieu and its gem, the Richelieu River.

Life in this region has always been dependant on the majestic waterway. Since the beginning of the 17th Century, when Samuel de Champlain and other European discoverers started to navigate it, the river has been called "Rivière-aux-Iroquois", for the Mohawks who roamed these waters full of fish. The forests were abundant with game, the soil fertile and many strategic places offered a good defence of the territory. For the same reasons, the newcomers established themselves here.

The Richelieu River has been our primary way for travelling and has oriented our business life. Since 1665, we have organized the defence of the country on its banks, the military presence has been continuous since and Saint-Jean-sur-Richelieu remains a garrison city. We have exploited the nearby forest: the maples have become our palisades, our barracks and our blockhouses, then our houses and our furniture, our barges and our boats. Out of blue oaks, chopped and set upright, we made our masts. We have cleared and grubbed out the gleysolic land and we still cultivate this fertile soil. The clay has become our pottery. Little by little, the hamlets have become villages and the county town, the regional capital.

First and foremost, we are a river; the rest of our life flows and drinks from it.

L'été, la rivière Richelieu s'anime des activités du nautisme. À Saint-Jean-sur-Richelieu, le Yacht Club d'autrefois s'est muté en une marina toujours aussi effervescente, le Nautique Saint -Jean.

L'autoroute de la Vallée-des-Forts franchit la Richelieu via le pont Félix-Gabriel-Marchand (pages précédentes).

Certes, l'abondance des poissons fait le régal des pêcheurs, mais c'est plus encore l'impressionnante présence aviaire qui fait la joie des amants de la nature (pages suivantes).

Goéland à bec cerclé

Ouaouaron

Butor d'Amérique

Oies blanches

Frimas et givre sur la rive...

Canards colverts (malards)

À la hauteur des Mille-Roches, la rivière hiémale se pare de vapeurs, de frimas et de givre…

On l'a appelé le "mont Noir" et la plupart des gens le désignent comme étant le "mont Saint-Grégoire", mais son nom officiel est "mont Johnson". Cette montérégienne est le seul élément de relief qui vienne interrompre la plaine dans notre région. On y pratique une agriculture féconde (pages 22 et 23) bien qu'elle soit aussi en partie recouverte de la forêt climax actuelle de notre région, l'érablière à caryer (pages 20 et 21).

Sous-bois d'érablière à caryer

Érable

Cayer

# La Vallée-des-Forts

La Richelieu est l'un des axes stratégiques les plus importants dans l'histoire de l'Amérique du Nord; c'est pourquoi le patrimoine historique, et militaire en particulier, y est si riche. Au fil du courant et à celui des événements, c'est une «vallée des forts» qu'on a établie.

Il y a toujours eu de l'activité militaire à Saint-Jean-sur-Richelieu, ville et région. À l'époque où Champlain s'amena dans nos parages en 1603 puis en 1609, cela faisait quelques siècles déjà que les autochtones fréquentaient la région. La convoitise excitée par la richesse des lieux et la présence de nombreux sites propices à la stratégie contribuaient à de perpétuelles péripéties belliqueuses.

Occasionnellement, les escarmouches entre les Agniers, qui appartenaient aux cinq nations iroquoiennes, et les Abénakis, qui étaient ici à la limite ouest de leur territoire, donnaient lieu à de violentes batailles. Bien après la venue des nouveaux occupants européens, qui s'y sont parfois trouvés impliqués, cette vendetta s'est poursuivie. La fortification de Chambly a commencé en 1665. L'année suivante, le régiment de Carignan construisit à Saint-Jean un fort destiné à contenir les Iroquois au sud du 45$^{e}$ parallèle. En 1694, la plus célèbre des batailles entre autochtones, un véritable carnage, s'est terminée par une victoire abénakie repoussant la présence iroquoise au sud de la frontière américaine actuelle. Les vaincus ont tous été décapités et leurs têtes, piquées sur des pieux disposés de façon à bien marquer la nouvelle limite territoriale. L'île Ash qui a vécu cet événement est désormais connue comme l'Île-aux-Têtes.

Au début de la colonisation, la Richelieu s'est révélée la grande route du commerce entre Montréal et New York. Mais les dissensions entre la France et l'Angleterre y trouvaient leurs échos. Notre région était la zone frontière entre la Nouvelle-France et la Nouvelle-Angleterre, le théâtre du harcèlement perpétuel entre les colons. En 1756, l'Angleterre a déclaré la guerre à la France. On a appelé cette période la guerre de Sept Ans. De hauts faits d'armes et de multiples péripéties se sont alors déroulés dans le Haut-Richelieu.

The Richelieu River is one of the most important strategic routes in North American history. This is why its military heritage is so rich. Along the current of the river and events, we have established a "valley of forts".

There has always been military activity in the city and region of Saint-Jean-sur-Richelieu. When Champlain came to the area in 1603 and again in 1609, the natives had already been roaming the region for centuries. The covetousness aroused by the richness of the area and the many strategic sites contributed to ongoing warlike incidents.

Occasionally, the skirmishes between the Mohawks, who were one of the five Iroquoian nations, and the Abenakis, who were here in the western part of their territory, gave rise to gruesome battles. This vendetta continued long after the arrival of the new European occupants, who occasionally became involved. The fortification of Chambly started in 1665. The year after, the Carignan regiment constructed a fort in Saint-Jean intended to contain the Iroquois south of the 45$^{th}$ parallel. In 1694, the most famous battle between natives, a real carnage, ended with the victory of the Abenakis who drove the Iroquois south of the existing American border. The vanquished were all beheaded and their heads put on stakes, arranged in a way to clearly mark the new territorial limit. The Ash Island where this event happened is now known as "l'Île-aux-Têtes" (the heads island).

Blockhaus de la rivière Lacolle (1781)

Après la conquête de 1760 et le Traité de Paris de 1763, les invasions ont connu un répit. Des pionniers s'installèrent dans la région pour en cultiver les terres fertiles; ils étaient d'ex-militaires français, allemands et suisses décidant de s'implanter au pays, des Acadiens déportés en 1755, des loyalistes conservant leur allégeance à la Couronne britannique après la déclaration d'indépendance des États-Unis en 1776, des marchands anglais ou des Irlandais victimes de la Grande Famine. Il ne s'agissait plus d'entraver les accès mais, bien au contraire, d'améliorer la circulation entre Montréal et les États-Unis, de faciliter la navigation, d'établir la sécurité du passage.

Dès 1775, les velléités expansionnistes des Américains dans la foulée de leur indépendance nationale se sont manifestées par des incursions armées pérodiques. Pour pallier de telles offensives, les Britanniques se sont enrichis d'un type particulier de structures défensives de bois massif, les blockhaus. Dans notre région, on en a érigé un en 1776 à Iberville, en face du fort Saint-Jean. Celui de la rivière Lacolle datant de 1781, protégeait une scierie et un phare. Situé à Saint-Paul-de-l'Île-aux-Noix, c'est le seul des 25 blockhaus construits au Québec à avoir survécu à l'épreuve du temps.

La première vague endiguée, une seconde tentative d'invasion américaine se manifesta lors de la Guerre de 1812. C'est de cette époque que datent par exemple les casernes de Blairfindie à l'Acadie. Les voltigeurs du colonel

**Fort Lennox (construit de 1819 à 1829)**

At the beginning of colonisation, the Richelieu River proved to be the great trade road between Montréal and New York City. But the dissensions between France and England echoed here. This region was the buffer zone between New France and New England, hence the theatre of constant harassment between settlers. Finally, in 1756, England declared war on France, a period called the "Seven Year War". Great feats of arms and numerous incidents happened in the Haut-Richelieu.

After the conquest in 1760 and the Treaty of Paris in 1763, invasions were given a respite. Pioneers established themselves in the area to cultivate its fertile lands. They were former French, German and Swiss militaries who decided to settle in the country, Acadians who had been deported in 1755, loyalists who wanted to keep their allegiance to the British Crown after the Declaration of Independence of the United States in 1776, British merchants and Irish victims of the Great Famine. It was no longer necessary to block access but, on the contrary, beneficial to improve the traffic between Montréal and the United States, to make navigation easier and establish a safer passage.

From 1775, the expansionist desire of the Americans in the footsteps of their national independence manifested itself with periodical armed incursions. To palliate such offensives, the British equipped themselves with defensive structures made of solid wood, the blockhouses. In our region, one was erected in 1776 in Iberville, across from the Saint-Jean fort. From 1781, the Lacolle River Blockhouse in Saint-Paul-de-l'Île-aux-Noix was meant to protect a sawmill and a lighthouse. Out of the 25 blockhouses constructed in Quebec, it is the only one to survive the test of time.

The first wave of expansion contained, a second American invasion was attempted during the War of 1812. This is the era in which the bunkers of Blairfindie in L'Acadie, for example, were built. The light infantrymen of Colonel Salaberry, the 19th Light Dragoons cavalrymen of Major Parker, the Swiss Meurons Company and the Jacques-Clément Herse battalion called "les Chasseurs de L'Acadie", all sojourned there. The American invaders were

de Salaberry, les cavaliers du 19th Light Dragoons du major Parker, la compagnie des Meurons, un régiment suisse, et le bataillon de Jacques-Clément Herse appelé les Chasseurs de L'Acadie, y ont séjourné. Les envahisseurs américains furent à nouveau bloqués près de l'actuel village de Lacolle et à L'Acadie, avant d'être repoussés vers Châteauguay où ils ont été vaincus. Le caractère multiethnique du village de l'Acadie, puis de toute la région, s'est consolidé avec les liens d'amitiés qui se sont tissés dans la défense du pays. Lors de la démobilisation, plusieurs soldats ont décidé de s'établir sur place.

Les activités guerrières ont pris fin avec le traité de Ghent, signé le 24 décembre 1814, qui a localisé la frontière entre les États-Unis et le Canada au 49e parallèle. Mais de nouvelles perturbations ont émergé de graves tensions liées à un conflit interne à l'État. Fondé par les esprits libéraux du début du XIXe siècle, le très avant-gardiste Parti Canadien, devenu ensuite le Parti Patriote, reflétait les volontés de la majorité française de la population. Il faisait face au Tory Party, celui de la minorité anglaise. Mais ce sont les tories qui étaient nommés très majoritairement dans les institutions, le Conseil législatif et le Conseil exécutif. Reflétant la volonté du peuple, le Parti Patriote a proposé 92 résolutions le 21 février 1834. Il s'agissait là de dispositions modernes préconisant notamment l'égalité de tous les citoyens, l'élection des Chambres, l'immunité parlementaire et les responsabilités ministérielle et budgétaire. La minorité anglaise s'est braquée, défendant âprement le statu quo et ses privilèges. Le conflit s'est envenimé, la rébellion est devenue inévitable. De nombreux affrontements sont survenus en 1837 et 1838. Des épisodes dramatiques de ce conflit tragique ont eu lieu dans le Haut-Richelieu. Des bâtiments civils, comme l'église catholique de L'Acadie, la chapelle méthodiste d'Odelltown ou l'édifice de comté de Napierville par exemple, en gardent de profonds stigmates.

L'activité militaire s'est par la suite davantage orientée vers la formation. De 1952 à 1995, les programmes du Collège militaire royal de Saint-Jean ont permis à de nombreux francophones de s'inscrire avec fierté jusqu'au plus hauts échelons de l'état-major canadien. Encore aujourd'hui, le campus du Fort Saint-Jean qui en a pris le relais, la base militaire de même que de nombreuses institutions poursuivent une présence militaire active dans la Vallée-des-Forts et Saint-Jean-sur-Richelieu demeure une ville garnison.



once again blocked near the village of Lacolle and at L'Acadie, before being repelled towards Châteauguay where they were defeated. The multiethnic character of the village of L'Acadie, and then of the surrounding region, became stronger with the ties of friendship woven out of the defence of the country. At the time of the demobilization, many soldiers decided to settle in the area.

The belligerent activities ceased with the Treaty of Ghent, signed on the 24th of December 1814, which positioned the border between the United States and Canada at the 49th parallel. But disruptions emerged again from important tensions related to an internal conflict within the state. Founded by the free thinkers of the early 19th Century, the avant-gardist Canadian Party, that later became the Patriot Party, reflected the volitions of the French majority. It opposed the Tory Party, that of the British minority. But it was the Tories who were appointed in majority in the institutions, the Legislative Council and the Executive Council. On the 21st of February 1834, reflecting the will of the people, the Patriot Party proposed 92 resolutions. They were modern provisions recommending notably equality of all citizens, election of the Houses, parliamentary immunity as well as ministerial and financial responsibilities. The English minority dug its heels in, defending fiercely the status quo and its privileges. The conflict became aggravated and rebellion became unavoidable. Numerous confrontations occurred in 1837 and 1838. Terrible episodes of that tragic conflict took place in the Haut-Richelieu. Public buildings like the Catholic church in L'Acadie, the Methodist chapel in Odelltown and the County building of Napierville still retain the wounds from this conflict.

The military focus in the Haut-Richelieu then shifted towards training. From 1952 to 1995, the programs at the Royal Military College of Saint-Jean allowed many French-speaking people to proudly reach the highest ranks in Canadian staff. Still today, the Fort Saint-Jean campus, the military base and numerous institutions carry on an active military presence in the Vallée-des-Forts, and Saint-Jean-sur-Richelieu remains a garrison city.

# Fort Montgomery

C'est un peu après les combats de 1812 que fut fortifiée pour la première fois une petite île sablonneuse de Rouses Point située au carrefour des états du Vermont, de New York et du Québec. À compter de 1816, les Américains érigèrent une impressionnante tour de près de 10 mètres, bien qu'en vertu du traité de Ghent, elle se trouvait en réalité au Bas-Canada, c'est-à-dire au Québec. Pourtant, le 18 avril 1818, l'état de New York céda l'emplacement et les 400 acres avoisinants au gouvernement des États-Unis pour en faire une réserve militaire. Elle ne fut jamais armée et on l'abandonna dès le deuxième été, après la fin des travaux. Les résidents de Rouses Point, et plus tard des constructeurs de ponts, pillèrent le site et une partie des pierres de cette fortification se retrouvent désormais dans des piliers ou dans les murs de plusieurs maisons du village. Le traité de Webster-Ashburton de 1842 a déplacé une partie de la frontière un peu vers le nord et régularisé la propriété états-unienne du site. Les travaux ont donc repris en 1844 et la magnifique structure de pierre a été complétée, mais elle n'a jamais servi. Est-ce à cause de la méprise initiale sur la propriété du site, à cause du pillage des lieux par les villageois ou parce que ce dispositif militaire n'a jamais été utilisé qu'on le surnomme le fort de la Bêtise? Quoi qu'il en soit, pour nous aujourd'hui, il constitue surtout un magnifique site patrimonial qui mériterait d'être remis en valeur.

# Fort Lennox

Les troupes du commandant britannique Amherst repoussaient irrésistiblement celles du général français Bourlamaque vers le nord du lac Champlain. L'Île-aux-Noix était suffisamment près de Montréal pour ravitailler nos soldats et elle possédait toutes les qualités pour constituer un précieux rempart. Pour les Français, de l'aveu même du gouverneur Vaudreuil, il s'agissait de la position défensive la plus essentielle du territoire et elle devait être tenue à tout prix, car si nous avions le malheur de la perdre aux mains adverses, rien ne ferait désormais plus obstacle à l'incursion ennemie jusqu'à Montréal, dont la chute entraînerait la perte de la colonie entière. Une première forteresse fut donc établie par les Français en 1759, mais l'année suivante, l'appréhension est tout de même devenue réalité. Après de violents combats du 16 au 20 août, le fort a été pris et le territoire entier est devenu britannique peu après.

Au lendemain de leur indépendance, les Américains ont attaqué le Canada à quelques reprises dans une perspective expansionniste. Suite à l'invasion de 1775, un nouveau fort, plus petit et incorporant certains éléments du précédent, a donc été construit par les Britanniques en 1778. De nouveau en 1812, les velléités états-uniennes se sont manifestées dans le corridor de la Richelieu. Malgré le traité de Ghent en 1914, une menace étant toujours pressentie, le Fort Lennox actuel a été réalisé de 1819 à 1829 et il a abrité des garnisons jusqu'en 1870. Par la suite, les installations ont été occasionnellement réutilisées, notamment pour emprisonner des soldats allemands lors de la Seconde Guerre mondiale. De nos jours, c'est Parcs Canada qui met ce site en valeur.

De tout temps, les autochtones qui vivaient surtout de chasse et de pêche, étaient familiers avec ce lieu où Champlain vint en 1609. Une présence militaire s'y implanta en 1665. L'année suivante, en vue de garder les Iroquois au sud du $45^e$ parallèle, le régiment Carignan-Salières érigea un fort d'abord appelé L'Assomption puis rebaptisé Saint-Jean. En 1748, de Léry remplaça ce fort et Montcalm fortifia l'emplacement en 1757 pendant la guerre de Sept Ans pour contrer l'envahisseur britannique. Devant l'irrépressible poussée ennemie, les défenseurs se résignèrent à l'incendier le 29 août 1760, quelques jours à peine avant la capitulation de Montréal.

En 1775, les Britanniques reconstruisirent le fort pour s'opposer à l'invasion états-unienne du Canada. Le général Montgomery l'assiégea vainement durant de longues semaines. La résistance farouche contribua à rendre impossible la prise de Québec et du Canada tout entier. Grâce au fort Saint-Jean, notre colonie n'est pas devenue le $14^e$ état américain.

Le fort Saint-Jean accueillit ensuite un chantier maritime. En 1839, après la rébellion des Patriotes, on lui ajouta plusieurs bâtiments. Plus tard, il fut l'hôte du Royal Canadian Dragoons. En 1883, on y organisa une école d'infanterie à l'origine du célèbre Royal Canadian Regiment puis, en 1914, du fameux Royal $22^e$ Régiment. Le fort abrita plusieurs centres d'instruction, dont l'École de formation de l'armée canadienne (CATS), et, à compter de 1952, le très prestigieux Collège militaire royal de Saint-Jean (CMR) qui ferma ses portes en 1995 pour d'obscures raisons politiques dénoncées par la population. Actuellement, la Corporation du Fort Saint-Jean perpétue cette présence militaire qui contribue à faire de Saint-Jean-sur-Richelieu une ville garnison.

# Fort Chambly

C'est au pied des rapides de Chambly, sur le site même où Champlain avait séjourné en 1603, que les Français ont organisé leurs positions défensives contre les Iroquois en établissant un fort de bois en 1665. Une seconde construction lui succéda en 1690. La Grande Paix de Montréal, en août 1701, entraîne la fin de la menace iroquoise grâce à l'acceptation de l'esprit du Two Row Wampum. Par prudence, on érige néanmoins un troisième fort de bois en 1702.

Surviennent alors les premiers affrontements contre les Britanniques. Le bois ne suffit plus, il faut de la pierre. Des fortifications françaises à la Vauban sont donc établies de 1709 à 1711 : c'est le fort Pontchartrain, nom du ministre de la Marine de France. Ce sont les soldats des compagnies franches de la Marine qui en assurent la défense. Connu aujourd'hui sous le nom de Fort Chambly, il a très bien traversé l'histoire et, grâce au travail de Parcs Canada qui l'a rénové en 1983, il demeure aujourd'hui un témoin éloquent de la présence française en Amérique du Nord.

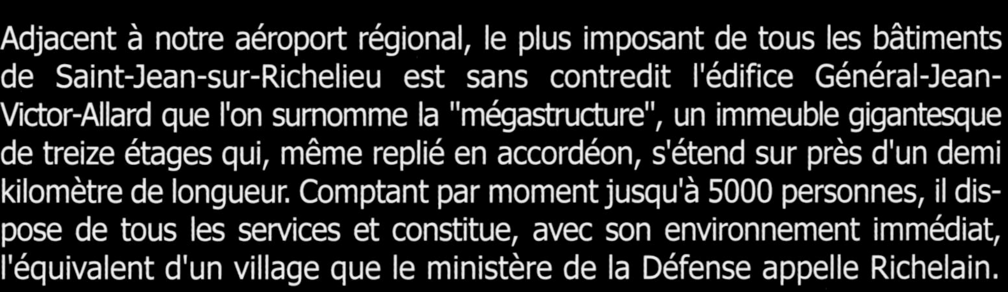

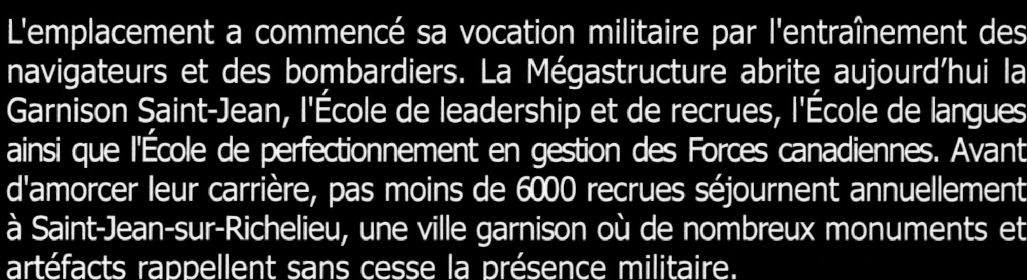

# Base militaire

Adjacent à notre aéroport régional, le plus imposant de tous les bâtiments de Saint-Jean-sur-Richelieu est sans contredit l'édifice Général-Jean-Victor-Allard que l'on surnomme la "mégastructure", un immeuble gigantesque de treize étages qui, même replié en accordéon, s'étend sur près d'un demi kilomètre de longueur. Comptant par moment jusqu'à 5000 personnes, il dispose de tous les services et constitue, avec son environnement immédiat, l'équivalent d'un village que le ministère de la Défense appelle Richelain.

L'emplacement a commencé sa vocation militaire par l'entraînement des navigateurs et des bombardiers. La Mégastructure abrite aujourd'hui la Garnison Saint-Jean, l'École de leadership et de recrues, l'École de langues ainsi que l'École de perfectionnement en gestion des Forces canadiennes. Avant d'amorcer leur carrière, pas moins de 6000 recrues séjournent annuellement à Saint-Jean-sur-Richelieu, une ville garnison où de nombreux monuments et artéfacts rappellent sans cesse la présence militaire.

32 à 35

RESTAURANT

36 à 39

Sertie dans la Vallée-des-Forts, la municipalité régionale de comté (MRC) Haut-Richelieu vibre d'une vitalité exceptionnelle. Enracinée dans ses origines vaillantes, bien campée dans sa fierté créatrice, elle tourne le regard vers un avenir agréable et prospère qu'elle se mérite par le labeur constant de ses citoyens et la coopération intermunicipale qu'elle suscite.

La MRC Haut-Richelieu a pris le relais de la municipalité du comté d'Iberville, de celle de Saint-Jean et d'une partie de celle de Missisquoi qui ont présidé les activités régionales de 1855 à 1981. Monsieur René Charbonneau, alors maire du village d'Henryville, en a été le premier préfet de 1982 à 1984. Elle regroupe plus de 100 000 habitants, coordonne 14 municipalités et couvre 932 km². C'est une importante structure organisationnelle dont les mandats exclusifs sont d'aménager le territoire, d'entretenir et d'aménager les cours d'eau, d'orienter et de coordonner le développement économique, de gérer les matières résiduelles et de planifier la sécurité incendie. Elle est aussi responsable de la sécurité publique et de l'évaluation foncière pour 13 municipalités, Saint-Jean-sur-Richelieu ayant ses propres services à ces égards. De plus, elle a acquis, au début de 2004, la pleine juridiction pour l'implantation, l'entretien et l'opération de tout système de télécommunications par fibres optiques avec équipements opto-électroniques.

Collée sur la frontière des États-Unis et située à moins de 40 km de Montréal, la MRC Haut-Richelieu jouit de sa proximité des marchés de la métropole du Québec et de la Nouvelle-Angleterre. Elle regroupe plus de 300 entreprises œuvrant dans 19 secteurs d'activités industrielles. La MRC dispose de parcs industriels dotés d'infrastructures modernes, d'un conseil économique très compétent, d'une chambre de commerce dynamique, d'un office du tourisme et des congrès très actif. La main-d'œuvre fiable et qualifiée démontre volontiers un sentiment d'appartenance institutionnelle. Les terres agricoles sont parmi les meilleures de tout l'est de l'Amérique du Nord, rien de moins. Il est facile de comprendre pourquoi nos agricultrices et nos agriculteurs sont si épris de leur patrimoine et tout le soin qu'ils mettent à le cultiver. Tout cela confère à notre MRC une économie régionale compétitive, prospère, florissante.

Chez nous, c'est un terreau fertile où s'implanter, où s'investir. En parcourant tour à tour chacune des 14 municipalités, on perçoit aussi à quel point c'est un

Set in the Vallée-des-Forts, the Haut-Richelieu Regional County Municipality (RCM) quivers with exceptional vitality. Rooted in its valiant origins, standing firmly in its creative pride, it turns its gaze to a pleasant and prosperous future that it deserves through the constant labour of its citizens and the cooperation between cities that it arouses.

The Haut-Richelieu RCM has taken over the municipality of the county of Iberville, that of Saint-Jean and a part of Missisquoi, which have coordinated the regional activities from 1855 to 1981. Mr René Charbonneau, mayor of the village of Henryville at the time, became the first prefect from 1982 to 1984. It encompasses more than 100 000 people, regulates 14 municipalities and covers 932 km². It is an important organisational structure whose exclusive mandates are to manage territory, maintain and manage waterways, direct and coordinate economic development, manage residuals and plan fire security. It is also responsible for public security and realty assessment for 13 municipalities, with Saint-Jean-sur-Richelieu having its own services in this regard. Moreover, early in 2004, the RCM acquired full jurisdiction for implementation, maintenance and operation of any telecommunications system by fibre optics with optoelectronic equipment.

Close to the United States border and at less than 40 km from Montréal, our Haut-Richelieu RCM enjoys the close proximity to the markets of New England and Québec's metropolis. It gathers more than 300 enterprises operating in 19 industrial activity sectors. The RCM has industrial parks provided with modern infrastructures, a competent economic council, a dynamic chamber of commerce and an active tourist and convention bureau. The trustworthy and qualified manpower demonstrates a sense of institutional belonging. The farming lands are among the best throughout the eastern part of North America, nothing less. It is easy to understand why our farm people so love their heritage and take great pains to cultivate it. All this confers to our RCM a regional economy that is competitive, prosperous and flourishing.

Our homeland is a fertile soil for one to become established, to become involved. While roaming each of the 14 municipalities in turn, we also perceive

# La MRC Haut-Richelieu

L'édifice de la municipalité régionale de comté du Haut-Richelieu (ci-haut).

La Porte, celle du passé et de l'avenir, située devant l'édifice de la MRC (ci-contre).

Saint-Jean-sur-Richelieu, une ville à fleur d'eau, une ville grandeur nature (en-haut : rive droite; en-bas : rive gauche; pages 32 à 35).

Les blés sont mûrs dans la vallée.
Cette photographie prise à Saint-Blaise-sur-Richelieu s'est valu le titre mondial de deuxième meilleure photographie panoramique de 2006 (pages 36 à 39).

# Henryville

Issu d'une partie de la paroisse de Saint-Georges de Noyan, le territoire d'Henryville a été organisé en village une première fois le 1er juillet 1845 (maire : Joseph Gariépy). La municipalité fut abolie le 1er septembre de 1847 et rattachée à la municipalité de comté de Rouville (maire : Pierre Davignon). La municipalité de Saint-Georges a été rétablie le 1er juillet 1855 (maire : Édouard-René Demers). Les villages de Saint-Sébastien, en 1865, et de Sainte-Anne-de-Sabrevois, en 1888, s'en sont détachés. Le 8 octobre 1927, la paroisse se fractionna de nouveau créant le village d'Henryville (maire : Théodore Phénix) et la municipalité de paroisse de Saint-Georges (maire : Alfred Lemieux). Le 22 juin 1957, la paroisse prit le nom de municipalité d'Henryville (maire : Omer Laguë). Les deux entités se sont fusionnées le 15 décembre 1999 pour conduire à la municipalité actuelle (maire : Serges Lafrance).

C'est dans cette municipalité que se situe la réserve écologique Marcel-Raymond, une chênaie bleue sur la Pointe du Gouvernement, à l'embouchure de la rivière du Sud. Cet affluent de la Richelieu est actuellement assailli par la châtaigne d'eau, une plante jolie mais indésirable parce que très envahissante. Une répression de tous les instants semble donner des résultats et l'invasion est maintenant contenue.

| Superficie | Population | Gentilé |
|---|---|---|
| 64,87 km² | 1522 | Henryvilloise, Henryvillois |

À l'origine, le village actuel de Lacolle se trouvait dans la paroisse de Saint-Bernard de Lacolle qui a été municipalisée le 1er juillet 1845 (maire : Freeman Nye). Il a été dissous le 1er septembre 1847 et incorporé à la municipalité de comté de Huntingdon (maire : Alexandre-Désiré Sauvageau). Le 1er juillet 1855, la municipalité de Saint-Bernard-de-Lacolle a été rétablie (maire : Merritt Hotchkiss). Notre-Dame-du-Mont-Carmel s'en est détaché le 26 avril 1913 (maire de Saint-Bernard-de-Lacolle : Louis-Napoléon Rémillard; maire de Notre-Dame-du-Mont-Carmel : Édouard Larivière). L'arrondissement centré autour de la gare de Lacolle a été municipalisé le 11 décembre 1920 par démembrement de Notre-Dame-du-Mont-Carmel (maire de Lacolle : Wilbrod Landry; maire de Notre-Dame-du-Mont-Carmel : Wilfrid Girard). L'endroit correspondait approximativement au territoire que les gens ont longtemps appelé Cantic par contraction de Canadian Atlantic Railway qui desservait alors ce territoire. Notre-Dame-du-Mont-Carmel a été amputé quelques fois depuis au profit de Lacolle ou de Saint-Cyprien. Le village actuel est né de la fusion récente de Notre-Dame-du-Mont-Carmel et de Lacolle, le 13 septembre 2001 (maire : Yves Duteau).

Lacolle est situé à la frontière de l'état de New York. Le village a connu de nombreuses péripéties militaires lors des invasions venues du sud et lors de la Rébellion de 1837-1838. Un lieu-dit témoin de ces affrontements, l'église d'Odelltown perpétue la mémoire de ces péripéties. Beaucoup pensent encore que Lacolle tiendrait son nom du lit boueux de la petite rivière où des troupes ennemies se seraient enlisées. Il n'en est rien. Au temps des colonies, une "colline" était une petite "colle", seul le premier mot ayant survécu jusqu'à ce jour. Cette colle existe. Elle est située dans le village actuel de Saint-Bernard-de-Lacolle et nous l'appelons aujourd'hui le mont Roméo.

| Superficie | Population | Gentilé |
|---|---|---|
| 2,168 km² | 2465 | Lacolloise, Lacollois |

LACOLLE & DISTRICT
LACOLLE

# Mont-Saint-Grégoire

La paroisse Saint-Grégoire le Grand de Monnoir est devenue brièvement une municipalité entre le 1er juillet 1845 (maire : Henry Scott Colman) et le 1er septembre 1847 quand elle a été rattachée à la municipalité de comté de Rouville (maire : Pierre Davignon). Elle a été rétablie le 1er juillet 1855 sous le nom de Saint-Grégoire-le-Grand (maire : Jean-Baptiste Chevalier). À divers moments, des portions de territoire ont été amputées au profit de Saint-Alexandre et Saint-Athanase avant que la municipalité ne soit scindée le 18 décembre 1954, donnant, d'une part, la municipalité de paroisse de Saint-Grégoire-le-Grand (maire : Grégoire Bessette) et, d'autre part, le village de Saint-Grégoire (maire : Samuel Bessette), dont le nom est devenu Mont-Saint-Grégoire le 7 janvier 1978. Le village actuel est né de la fusion des deux entités le 21 décembre 1994 (maires en alternance : Paul-Claude Bérubé et André Barrière).

C'est dans cette municipalité que se trouve le mont Johnson plus connu sous le nom de Saint-Grégoire. Du point de vue géologique, comme les autres montérégiennes, il s'agit en quelque sorte d'un volcan avorté, c'est-à-dire d'une intrusion de magma qui a traversé plusieurs couches de pierre sans jamais réussir à faire éruption à la surface. Comme le refroidissement a été très lent, cela a permis une cristallisation sophistiquée qui fait aujourd'hui le régal des géologues. L'endroit fait aussi la joie des gourmands du printemps, puisque la montagne accueille la plus grande concentration de cabanes à sucre qui soit, et celle des gourmands d'automne

VERGER

# Noyan

La paroisse protestante de Saint-Thomas de Foucault, sauf la partie qui avait alors été incluse à Henryville, a été érigée en municipalité le 1er juillet 1845 (maire : Ebenezer Billings). Le 1er septembre 1847, elle a été abolie et incorporée à la municipalité de comté de Rouville (maire : Pierre Davignon), puis rétablie sous le nom de Saint-Thomas le 1er juillet 1855 (maire : Andrew Holden). C'est le 8 mai 1976 que le village a changé sa dénomination pour Noyan.

Situé au bord de la Richelieu, le village de Noyan étend ses terres fertiles jusqu'à la frontière de l'état du Vermont. Lors de la guerre d'Indépendance américaine entre 1775 et 1783, ce furent ici les premiers rivages peuplés par des loyalistes cherchant refuge au Québec. Beaucoup d'entre eux, des colons et des soldats fidèles à la Couronne britannique, y furent débarqués par la frégate Maria. Dans un parc où se trouvait le manoir Caldwell, un monument rappelle ces jours héroïques et la fête annuelle qui s'y tient, en célèbre la fierté.

| Superficie | Population | Gentilé |
|---|---|---|
| 43,79 km² | 1139 | Noyantaise, Noyantais |

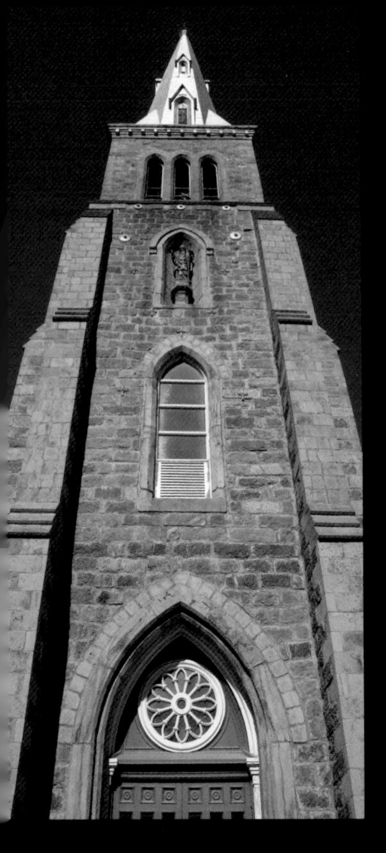

# Saint-Alexandre

| Superficie | Population | Gentilé |
| --- | --- | --- |
| 74,55 km² | 2494 | Alexandrine, Alexandrin |

Le village de Saint-Alexandre a été fondé le 1er juillet 1855 (maire : Joseph Ménard). Il a annexé une partie de Sainte-Brigide-de-Monnoir le 21 septembre 1857 et une partie de Saint-Grégoire-le-Grand le 30 juin 1856. Il a par contre été scindé le 25 septembre 1915 pour former la municipalité de paroisse d'une part (maire : Moïse Bessette) et celle du village d'autre part (maire : Oliva Fournier). Lors de l'établissement de Sainte-Sabine le 19 mars 1921, une partie de la paroisse a été amputée. Le 6 juin 1959, le village a annexé une partie de la paroisse. C'est le 17 septembre 1988 que les deux entités ont été réunies de nouveau pour former le village de Saint-Alexandre tel qu'il existe

Les citoyens sont particulièrement fiers de leur église dont les vitraux sont exceptionnels. Conçu par l'architecte Victor Bourgeau, le clocher surmonté d'une croix culmine à plus de 59 mètres, ce qui en fait le plus haut du diocèse de Saint-Hyacinthe. La fierté des agricultrices et des agriculteurs de Saint-Alexandre se manifeste aussi dans la promotion et la défense des activités agricoles. C'est pourquoi ils s'impliquent volontiers dans les divers lieux de concertation agroalimentaire. Ainsi, les producteurs d'alcool artisanaux et les vignerons du Québec doivent beaucoup à l'action énergique de Victor Dietrich, un viticulteur de Saint-Alexandre, à l'origine de l'adoption de la loi qui a permis le positionnement stratégique et l'essor de leurs produits, soit

Restaurant

# Saint-Blaise-sur-Richelieu

C'est le 10 août 1892 que des parcelles de Saint-Valentin, Sainte-Marguerite de Blairfindie (i.e. L'Acadie) et Saint-Jean l'Évangéliste ont été regroupées pour former la municipalité de Saint-Blaise (maire : Lucien Isaïe Boissonnault). Elle a par la suite annexé une partie de Saint-Valentin le 12 août 1899 puis une autre de Saint-Cyprien le 25 avril 1908. Le 5 mai 1993, le village a pris son nom actuel.

Le village s'est d'abord développé autour de la gare. Établi sur de très bonnes terres agricoles, il a toujours conservé son caractère rural. De nos jours, en plus du noyau villageois initial, la municipalité comporte une autre zone résidentielle riveraine de la rivière Richelieu. Au XIX^e^ siècle, de nombreux protestants et huguenots se sont regroupés dans cette localité autour d'Henriette Odin-Feller et de Louis Roussy, venus de Suisse pour s'établir en cette région accueillante qui a été le berceau francophone de la foi protestante en Amérique. La principale artère du village, aujourd'hui connue sous le nom de 1ère Ligne, a d'ailleurs longtemps été désignée rang des Huguenots.

| Superficie | Population | Gentilé |
|---|---|---|
| 58,42 km² | 2016 | Blaisoise, Blaisois |

# Sainte-Anne-de-Sabrevois

Le 3 mars 1888, on a regroupé une partie du territoire de la paroisse Saint-Georges, qui est devenue Henryville depuis, et une partie de la paroisse Saint-Athanase, une municipalité qui est désormais incluse dans la ville de Saint-Jean-sur-Richelieu, pour former Sainte-Anne-de-Sabrevois (maire : Abraham Daigneault). La seule modification du territoire survenue depuis est son extension aux cours d'eau. Cela s'est produit lorsque la MRC Haut-Richelieu a disposé de ses territoires non organisés le 12 juin 1993 en les attribuant aux six municipalités où ils passent.

Située sur la rive est de la Richelieu qui est particulièrement plate à sa hauteur, Sainte-Anne-de-Sabrevois est l'une des municipalités qui ont une grande surface recouverte d'eau au printemps. Si cela confère une grande fertilité au sol, c'est surtout la faune piscicole qui peut se réjouir de cette zone de fraie exceptionnelle. Pour les riverains habitués à ces débordements annuels, on comprendra que le moment de l'exondaison est toujours fort apprécié. Mais pour l'ensemble des résidents, la grande célébration collective a plutôt lieu au cœur de l'été à l'occasion des magnifiques cérémonies entourant la fête de la sainte patronne.

| Superficie | Population |
| --- | --- |
| 45,24 km² | 1991 |

1218
HOTEL DE VILLE

BOULET
359-FORD

# Sainte-Brigide-d'Iberville

La paroisse canonique de Sainte-Brigide a été érigée en municipalité le 24 juillet 1846 (maire : Charles Tessier). Le 1er septembre 1847, elle a été dissoute et son territoire inclus à la municipalité de comté de Rouville (maire : Pierre Davignon). Rétablie le 1er juillet 1855 sous le nom de Sainte-Brigide de Monnoir (maire : William Murray), elle a été amputée au profit de la municipalité de Saint-Alexandre le 21 septembre 1857, et de la paroisse de Saint-Césaire le 14 avril 1908. Lorsqu'on crée Sainte-Sabine le 19 mars 1921, une autre portion lui est soustraite. C'est le 18 février 1952 qu'elle adopte son nom actuel. Farnham s'accapare d'une autre section le 30 juin 1973 mais le balancier oscille pour une fois dans l'autre direction quand Sainte-Brigide-d'Iberville annexe une partie de la municipalité de Rouville le 1er décembre de la même année.

Sainte-Brigide-d'Iberville est un beau village qui, par sa taille et sa configuration, est typique de la région. Les imposants silos de sa ruralité s'élèvent aujourd'hui comme autant de clochers qui rivalisent de prestance avec celui de l'église d'antan. La municipalité aussi est réputée par la qualité de son rodéo annuel.

| Superficie | Population | Gentilé |
|---|---|---|
| 68,89 km² | 1263 | Brigidienne, Brigidien |

# Saint-Georges-de-Clarenceville

La paroisse protestante de Saint-George de Noyan a donné naissance simultanément le 1er juillet 1845 à ce qui correspond aujourd'hui aux municipalités d'Henryville et de Saint-Georges-de-Clarenceville. Cette dernière a d'abord porté simplement le nom de Clarenceville (maire : Benjamin Salls). Subissant le même parcours initial que sa congénère, elle a été abolie dès le 1er septembre 1847, incluse à la municipalité de comté de Rouville (maire : Pierre Davignon), puis rétablie sous le nom de Saint-Georges de Clarenceville le 1er juillet 1855 (maire : Elihu Johnson Smith). Le 3 avril 1912, elle cède une partie de son territoire à l'occasion de l'établissement de la municipalité voisine de Saint-Pierre-de-Véronne-à-Pike-River. Le 30 octobre 1920, elle se scinde en deux entités, le village de Clarenceville (maire : Uriah T. Chilton) et la municipalité de paroisse qui conserve le nom (maire : John H. Mosher). Le 17 décembre 1949, la création de Venise-en-Québec se traduit par une amputation de la paroisse. C'est le 5 janvier 1957 que cette dernière change de statut en cessant d'être paroisse, qu'elle ajoute les deux derniers traits d'union à son nom et qu'elle devient la municipalité de Saint-Georges-de-Clarenceville (maire : Clarence H. Hawley). Le 27 décembre 1989, elle se fusionne avec le village de Clarenceville ce qui crée la situation actuelle (maire : Kenneth Miller).

Saint-Georges-de-Clarenceville est un village qui possède un poste frontalier avec l'état du Vermont auquel il est adjacent. Il est bordé par un des plus beaux plans d'eau du Québec, la baie Missisquoi du lac Champlain. Par sa situation, la municipalité possède donc un potentiel récréo-touristique élevé, mais sa communauté a plutôt choisi de profiter de l'air de ses campagnes et du vent du large pour se donner un climat agréable et cultiver sa qualité de vie.

Superficie: 68,89 km$^2$
Population: 1263
Gentilé: Brigidienne
Brigidien

# Saint-Jean-sur-Richelieu

Le territoire actuel de la ville de Saint-Jean-sur-Richelieu correspond à une communaut socio-économique d'appartenance qui s'est tissée un destin commun au cours d'une histoire complex à partir de plusieurs points de départ. Du côté est de la Richelieu, ce fut l'aventure de Saint-Athanase e Iberville, du côté ouest, celle de L'Acadie, Saint-Luc et Saint-Jean l'Évangéliste. Aujourd'hui, c'est ensem ble que ces entités ont choisi de se développer et de construire un avenir commun.

Sur la rive est de la Richelieu, la paroisse de Saint-Athanase de Bleury est érigée en municipalit le 1er juillet 1845 (maire : Joseph Charland). Un petit territoire s'en détache le 23 décembre 1846 e devient le village de Christieville (maire: Robert Jones). La municipalité de paroisse est abolie et annexée à l municipalité de comté de Rouville le 1er septembre 1847 (maire : Pierre Davignon), puis elle est reconstitué le 1er juillet 1855 sous le nom de Saint-Athanase (maire : Denis Doody). Le 4 mai 1859, le village d Christieville devient la ville d'Iberville (maire : Alexandre Dufresne). Par la suite, Saint-Athanase perd tour à tour des parties de territoire au profit de Sainte-Anne-de-Sabrevois, Saint-Grégoire-le-Grand et Iberville

Sur la rive ouest, trois paroisses religieuses sont aussi érigées en municipalité le 1er juillet 1845 : Saint-Jea l'Évangéliste de Dorchester devient Saint-Jean (maire : Pierre-Paul Démaray), Saint-Luc de Longueu conserve son nom (maire : Benjamin Holmes) et Sainte-Marguerite de Blairfindie prend le nom d paroisse de Blairfindie (maire : François Bourassa). Ces trois entités sont dissoutes le 1er septembre 184 et leur territoire est intégré dans la municipalité de comté de Chambly (maire : John Yule).

Le 20 juillet 1848, une partie de la paroisse Saint-Jean l'Évangéliste correspondant grossièrement au centre-vill actuel devient la municipalité du village de Saint-Jean (maire : Nelson Mott). Le 1er juillet 1855, les troi entités antérieures sont reconstituées. Demeurant amputée du village, le résidu de la paroisse Saint-Jea l'Évangéliste est rétabli (maire : Samuel Vaughan). La seconde est reconstituée sous le nom de Saint Luc (maire : Augustin Gauthier). La dernière prend le nom de Sainte-Marguerite de Blairfindie (maire : Pierr Roy). Jusqu'aux années 2000, elles vivent en parallèle et, occasionnellement, elles s'échangent des por tions de territoire. Une fois, le 24 juillet 1880, Saint-Luc accroît le territoire de l'ensemble en annexan une partie de Saint-Joseph de Chambly. Par contre, lors de la création de Saint-Blaise le 10 août 1892, un portion de Sainte-Marguerite de Blairfindie et une autre de Saint-Jean l'Évangéliste sont amputées.

Du côté de Saint-Jean, le village reçoit le statut de ville le 15 septembre 1856 (maire : Joseph Delagrave et celui de cité le 22 décembre 1916 (maire : Joseph-Laurent Pinsonneault). Le 25 avril 1970, le mair de la paroisse (Roger Denis) et celui de la cité fusionnent leur municipalité et ce dernier devient le premie maire de la ville de Saint-Jean (Bruno Choquette). Suite à son initiative et à une campagne soutenue, l conseiller municipal Jules Roy obtient le 11 novembre 1978 que la ville prenne le nom de Saint-Jean-sur-Richelie Pour sa part, Saint-Luc obtient le statut de ville le 19 octobre 1963 (maire : Philippe Baillargeon). Quant à elle, Sainte-Marguerite de Blairfindie devient Lacadie le 20 mars 1926, puis L'Acadie le 4 décembre 1976 Même après la fusion de 2001, le cœur historique du village de L'Acadie conserve un statut particulier mais, le desti des deux rives de la Richelieu est désormais scellé : la rivière qui les séparait est désormais la rivière qui les unit. E effet, le 24 janvier 2001, l'ensemble de l'agglomération a fusionné sous le nom de Saint-Jean-Iberville. Dès le 16 mai à la demande générale, on est cependant revenu au nom de Saint-Jean-sur-Richelieu (premier maire : Gilles Dolbec)

| Superficie | Population | Gentilé |
|---|---|---|
| 225,61 km² | 83 900 | Johannaise, Johannais |

# Saint-Paul-de-l'Île-aux-Noix

Le 19 novembre 1898, une partie substantielle de Saint-Valentin a été amputée pour donner naissance à la municipalité de Saint-Paul-de-l'Île-aux-Noix (maire : Xyste Girard). Longée par la rivière Richelieu, la municipalité possède l'un des plus importants complexes de marinas en eaux intérieures de l'est de l'Amérique du Nord. Cette charmante localité est donc considérée comme la capitale du nautisme au Québec. On y trouve aussi des terres parmi les plus fertiles et des milieux humides riches en sauvagine.

La municipalité a vu notre histoire militaire se dessiner sous ses yeux. Après les escarmouches autochtones, ce lieu fut le poste avancé de la colonie. Les Français ont considéré à juste titre que l'île aux Noix était la position défensive la plus essentielle de notre territoire. Quand le fort qu'ils y ont érigé est finalement tombé le 27 août 1760 après 12 journées de résistance, il n'a fallu que 12 jours de plus pour qu'on doive signer la capitulation de Montréal et que le Canada ne devienne définitivement britannique. Puis l'île a vécu les invasions américaines de 1775 et 1812. En 1837 et 1838, les patriotes s'enfuyant vers l'exil volontaire se tenaient aussi loin que possible du blockhaus construit en 1781. Le fort Lennox a abrité des garnisons jusqu'en 1870. On y a emprisonné des soldats allemands durant la Seconde Guerre mondiale. Aujourd'hui, Parcs Canada s'applique avec grand soin à mettre tout ce patrimoine en valeur.

| Superficie | Population | Gentilé |
| --- | --- | --- |
| 24,47 km² | 1988 | Paulinoise, Paulinois |

# Saint-Sébastien

Par un démembrement de la municipalité de Saint-Georges-de-Henryville le 17 février 1865, on a procédé à la création de la municipalité de paroisse de Saint-Sébastien (maire : Jules Fortin). Elle a été amputée à son tour d'une bonne portion de son territoire lors de la formation de Saint-Pierre-de-Véronne-à-Pike-River le 3 avril 1903.

Cette municipalité essentiellement rurale vit au rythme des saisons de l'agriculture. Ses terres fertiles jouissent d'un ensoleillement et d'un nombre de degrés jours

BIÈRE
FROIDE
COLD BEER
EPICERIE
Coca-Cola
BIERE & VIN
PRO
ENTREE
SEULEMENT
A Vendre
GARAGE
Yves St-Laurent
DEBOSSELAGE PEINTURE
BIÈRE
FROIDE

Saint-Sébastien
cuisine
pour vous

# Saint-Valentin

Superficie
40,092 km²

Population
495

Gentilé usuel (en voie d'officialisation)
Valentine, Valentin

Le 1er juillet 1845, la paroisse de Saint-Valentin est érigée en municipalité (maire : Joseph Bissonnette). Le 1er septembre 1847, elle est abolie et son territoire, divisé en deux, voit ses parties incluses, l'une dans la municipalité de comté de Chambly (maire : John Yule), et l'autre dans celle de Huntingdon (maire : Alexandre-Désiré Sauvageau). Le 1er juillet 1855, la municipalité intégrale est reconstituée (maire : Pierre-Adjuteur-Zéphirin Girardin). Par la suite, le territoire est amputé à trois occasions, le 10 août 1892 pour la formation de Saint-Blaise, le 19 novembre 1898 pour la création de Saint-Paul-de-l'Île-aux-Noix et une seconde fois au profit de Saint-Blaise le 12 août 1899.

C'est une municipalité résolument agricole qui accueille, dans une halte magnifique, les cyclistes fréquentant la véloroute numéro 2 du réseau cyclable québécois, la piste de la Vallée-des-Forts. Saint-Valentin fait partie du réseau mondial des Villes de l'Amour avec ses homologues d'Autriche, de France, et Sakuto Cho, qui se proclame la ville de l'amour et de la prospérité du Japon. En signant une entente avec celle-ci en octobre 1997, Saint-Valentin est devenue la première ville du Québec à se jumeler à une ville japonaise (maire : René Trahan). Protocole exige, le maire de Saint-Valentin était donc un invité de marque lors du jumelage de Montréal et Hiroshima en 1998. Le drapeau du Japon flotte devant l'hôtel de ville, le Jardin des amoureux est planté de cerisiers qui est l'arbre national des Japonais, et on célèbre leur fête nationale, celle des Cerisiers, parmi les activités du Festival annuel de Saint-Valentin qui se tient en février et dont la première édition officielle remonte à 1995.

JOYEUSE ST VALENTIN

**La Richelieu a permis à Saint-Paul-de-l'Île-aux-Noix de devenir la capitale nationale du nautisme au Québec (ci-haut). Cette magnifique rivière est l'âme même de Saint-Jean-sur-Richelieu, ville et région. C'est le long de ses rives que notre histoire s'est écrite, que notre présent se déploie et que l'avenir s'ouvre à nous (pages 74 à 79). Les majesteuses forces de la nature n'ont de cesse que d'en définir la beauté (pages 80 à 83).**

# Venise-en-Québec

La création de Venise-en-Québec a eu lieu le 1er janvier 1950 au sein de la municipalité de comté de Missisquoi, à partir d'une portion de territoire détachée de Saint-Georges de Clarenceville (maire : Romuald Désourdy). Le 1er janvier 1982, elle s'est jointe à la MRC Haut-Richelieu lors de sa création.

Les citoyennes et les citoyens de Venise-en-Québec sont très préoccupés par les questions écologiques et par la qualité de l'environnement. Située en bordure de la baie Missisquoi, cette municipalité possède un golf magnifique et une des très belles plages sablonneuses du lac Champlain. C'est un centre de villégiature en plein essor dont on poursuit toujours la mise en valeur de l'immense potentiel. L'hiver, la pêche sur la glace fait la joie des adeptes. L'été, le plan d'eau est un attrait irrésistible pour les véliplanchistes et les barreurs. Oui, Venise-en-Québec a le vent dans les voiles.

| Superficie | Population | Gentilé |
|---|---|---|
| 13,57 km$^2$ | 1354 | Venisienne, Venisien |

Dragon Lady
Neptune X
MONTREAL

Le Chagall

74 à 79

CARVER
GOOD HUMOUR
MONTREAL

Chapitre 4

# Les gens d'ici

Ce qui fait la force de Saint-Jean-sur-Richelieu, ville et région, ce sont d'abord les gens d'ici. À juste titre, *Le Canada-Français*, ce journal que nous a laissé Félix-Gabriel Marchand et ses collaborateurs, les mets assidûment en valeur à chaque semaine depuis maintenant près de 150 ans. Il y a eu les générations passées qui nous ont légué leur riche héritage. Aujourd'hui, la génération montante prend le flambeau et nous projette vers l'avenir (pages suivantes) alors que la génération actuelle s'emploie dans tous les domaines à construire avec brio notre qualité de vie (pages subséquentes).

Il convient ici de citer le nom de quelques citoyennes et citoyens émérites qui font notre fierté, et d'évoquer des personnes dont le destin est lié à celui de notre région, qui ont à leur façon acquis une enviable notoriété et dont le prestige rejaillit sur notre milieu. Cette liste n'est pas exhaustive, bien sûr; il a fallu se limiter. Par contre, sur les pages de garde où nous avons dressé le répertoire des patronymes des gens d'ici, nous avons fait l'impossible pour n'oublier personne.

The strength of the city and region of Saint-Jean-sur-Richelieu is first and foremost the people who live here. *Le Canada français*, the newspaper founded by Félix-Gabriel Marchand and his contributors, have been rightly promoting them every week for 150 years. Past generations have passed on to us their rich heritage. Today the younger generation takes the torch and propels us towards the future (next pages) while the working generation endeavours in every domain to brilliantly construct our quality of life (subsequent pages).

It is appropriate here to evoke the names of some emeritus citizens who make us proud, and of people whose destiny is linked with our region; those who have acquired, in their own way, an enviable notoriety and whose prestige reflects on our environment. Of course, this list is not exhaustive; we had to limit ourselves. On the other hand, we strived not to forget anyone in making the list of the patronyms of the local people you will find on the endpapers.

**rts** : Roger Alexandre, Rita Desourdy, Louise Léveillé et Michel Martel (peintres), Françoise Boucher Boutin (collectionneuse et hôtelière), François Bourque (architecte), Napoléon Bourassa (artiste, professeur et architecte), Georges Coulombe (conservateur de patrimoine immobilier), Paul Laforest (collectionneur), Marcel Poirier (estampeur), Pierre Ouvrard (relieur), Marguerite Sainte-Marie (historienne de l'art); **clergé** : Alfred Bessette (le frère André), Éric Bouleau (aumônier scout), Régis Bruyère (frère mariste), Anastase Forget, Gérard-Marie Coderre, Bernard Hubert et Jacques Berthelet (évêques), Bertrand Gaboriau (Patro Normandie), Antoine Labelle (curé et développeur des Laurentides), Mariette Odin-Feller (responsable de mission), Louis Roussy (pasteur), Élodie-Virginie Paradis (vénérable Marie-Léonie), Armand Racicot (prêtre); **club social** : Réal Boucher (président international Club Richelieu International); **commerce** : Guy-Marie Papillon (pharmacien), Nadine Réon (courtier émérite), André Vidal (franchiseur); **développement** : Paul Thouin (développement touristique); **éducation** : Régis Dubuisson (initiateur de Sport-étude), Gilles Perreault (présence internationale de l'enseignement collégial québécois); **éditeur :** Marc-Aimé Guérin; **finances** : Louis Molleur (banquier, fondateur de la Banque de Saint-Jean); **explorateurs** : Samuel de Champlain, Louis-Antoine de Bougainville, (explorateurs); **histoire** : Réal Fortin, Lionel Fortin, Rodolphe Fournier et Nicole Martin-Verenka (historiens), Jérôme Proulx (député, whip, présence de l'enseignement de l'histoire dans les écoles du Québec), André Larochelle (premier récipiendaire de la Rose de Larochelle, prix du Patriote de l'année); **innovations industrielles** : Roger Breton (innovation de revêtement sur métal), Moses Farrar et Isaac Newton Soule (poterie industrielle), Rodrigue Biron (techniques de fonderie), Louis Lapointe et Gilles Robert (design de machines industrielles), Jean St-Germain (inventeur); **journalisme** : Reine Charrier (Madame X) et Louis Gosselin (animateurs radiophoniques), Jean-François Crépeau (critique littéraire), Yves Gagnon et Robert Paradis (groupe Canada-Français), Roxanne Héroux, Éric Latour, Madeleine Poulin (journalistes à la télévision), Richard Lafontaine, Louis-Omer Perrier, Daniel Simard (journalistes), Jacques Paul (photographe de presse); **justice** : Jean Fréderick (journaliste, puis juge); **lettres** : Claudette Bégin, Roch Carrier, François Gravel et Jean-Marie Poupart (écrivains), Jacques Boulerice et Gatien Lapointe (poètes), Marcel Colin (poète et philosophe), Roger Léger (éditeur et philosophie); **médecine** : Alexis Bouthillier (médecin et député), Georges Phaneuf (chirurgien); **militaires** : Roméo Dallaire (général), Georges-Philéas Vanier (général et gouverneur général du Canada); **musique** : Gerry Boulet, Monique Leyrac et Gilles Rivard (chanteurs), Luc Girard (musicologue); **œnologie** : Christiane Jooss et Victor Dietrich, Monique Morin et Étienne Héroux (vignerons), Jean-Yves Théberge (œnologue); **politique** : Lomer Gouin, Félix-Gabriel Marchand et Honoré Mercier (premiers ministres), Pierre Lorrain (président de l'Assemblée nationale), Michael Fortier et Lucie Pépin (sénateurs), Alcide Côté, Yvon Dupuis, André Bissonnette (ministres fédéraux), Georges Duhamel, François Gosselin, Paul Beaulieu et Richard Le Hir (ministres à l'Assemblée nationale), Michel Barrette (animateur des Jeunes parlementaires); **sciences** : Roger Brière (économiste), Charles-Philippe David (études stratégiques), Charles Desserres (géométrie descriptive et métrologie), Denyse Gagnon (mathématicienne), Marcel Hudon, Jean-Paul Perron et Igor L. Sienkiewicz (entomologistes), Paul Lorrain et Jules Marcoux (physiciens), Nichole Ouellette (édimestre), Marcel Raymond (botaniste); **spectacle** : Paul Dion, Denis Larocque et Claire Pimpare (comédiens), Guy Boulanger (directeur de la SPEC), Pierre Légaré, Claudine Mercier, Benoit Paquette, Jean-Marc Parent, Mike Ward (humoristes); Lise Payette (Théâtre de l'Écluse); **sports** : Robert Blanchard (organisateur des Jeux du Québec de 1989), Isabelle Brasseur (patineuse), Louis Cyr (homme fort), Gaétan Gagnon (équitation gymkhana), Bernard Geoffrion (hockeyeur), Pascal Fleury (basketballeur), Yves Laforest (alpiniste), Denis Montana (footballeur), Claude Raymond (baseballeur), Denis Unsworth (aérostier), Jacques Villeneuve (coureur automobile); **syndicalisme** : Normand Gagnon et René Walaszczyk (UPA), Clément Godbout (FTQ); **tourisme** : Daniel Béland (initiateur du Festival de montgolfières); ...

7:59
Bienvenue
Est
Yoplait
PLATINE
PLATINE
OR
PLATINE
PLUS
PLATINE

Le pouvoir humain des générations montantes

Saint-Jean-sur-Ri
FL80
INCENDI
501
FREIGHTLINER
702
05A43

Le pouvoir humain de protéger les citoyens

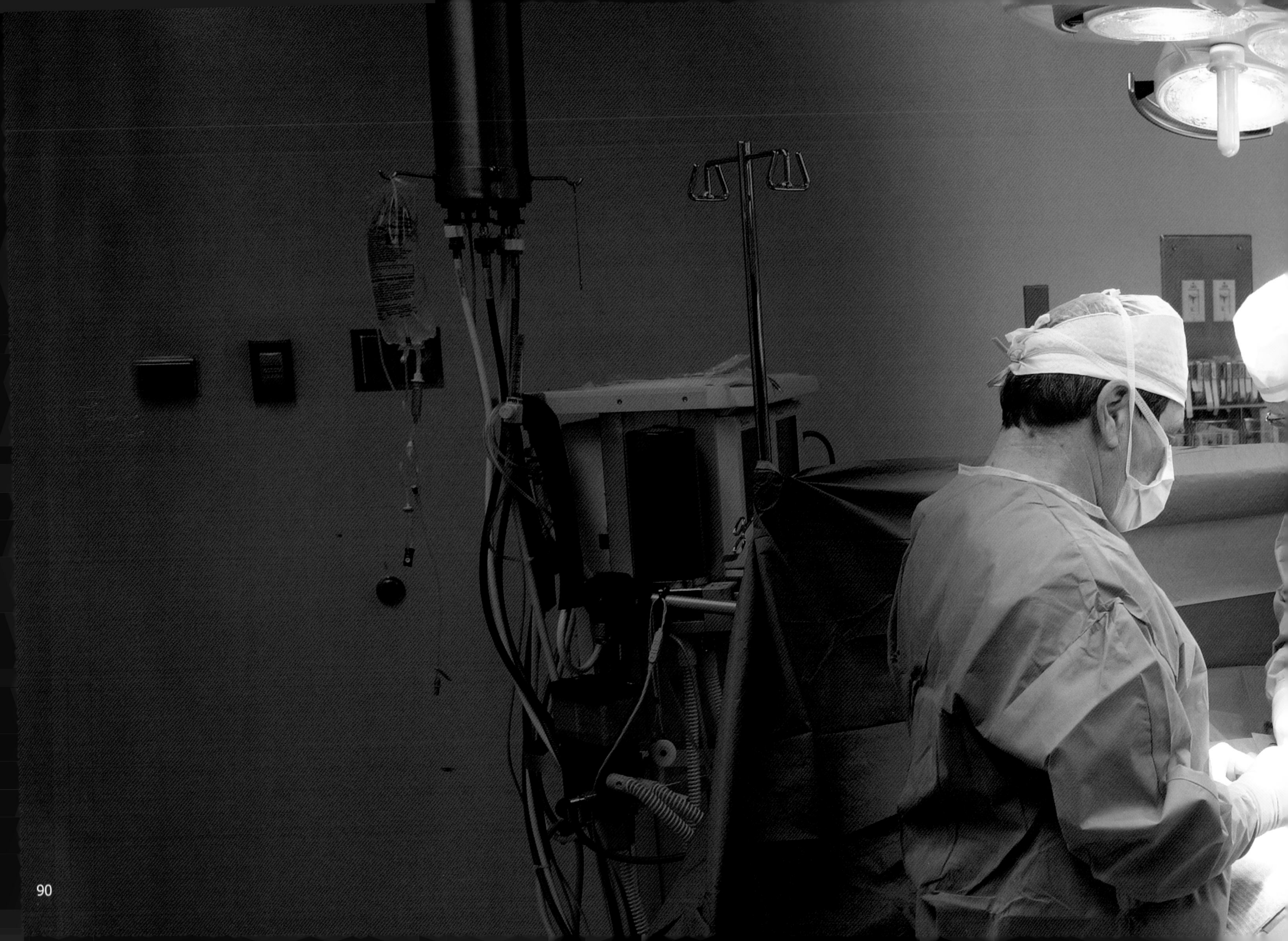

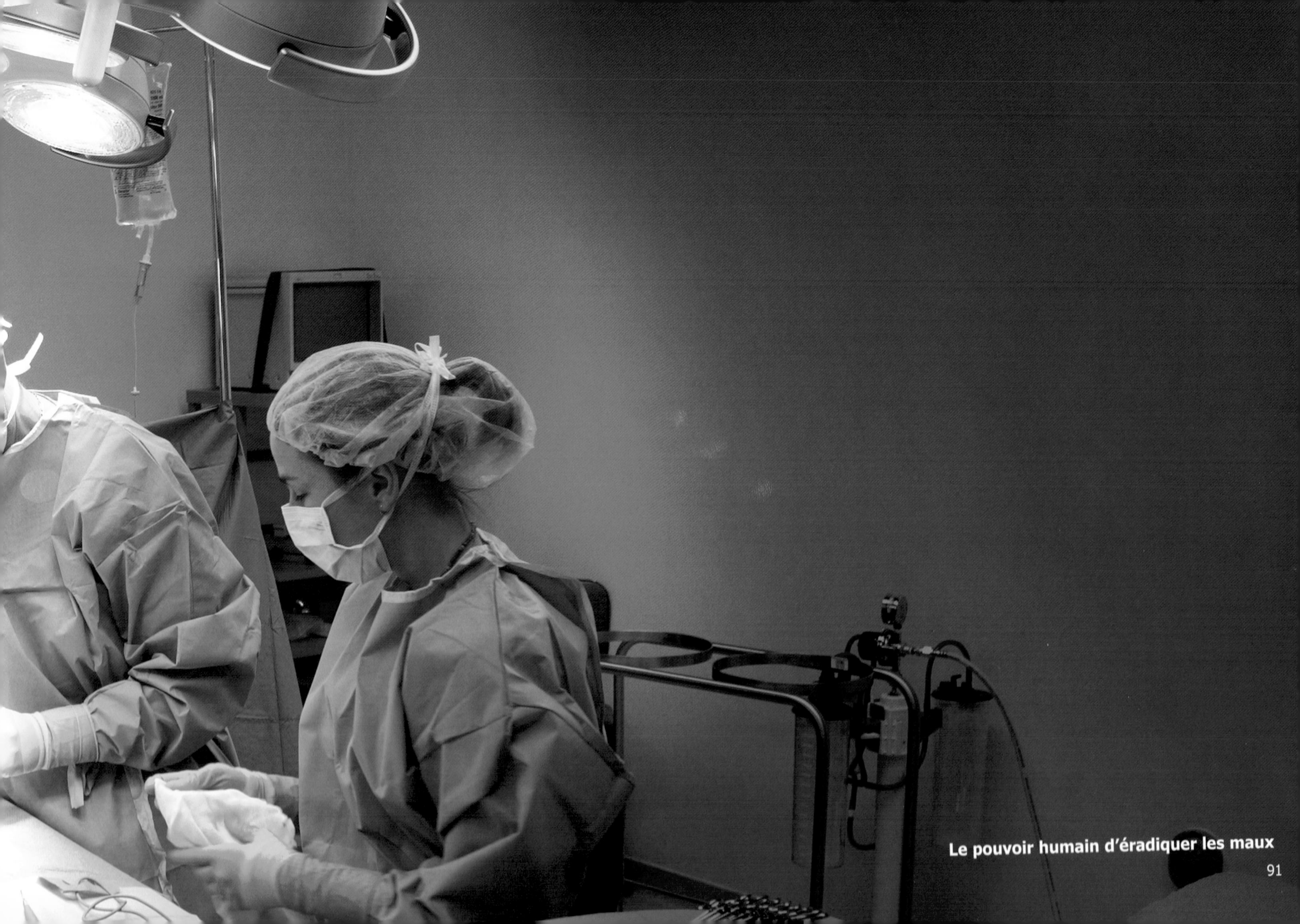

Le pouvoir humain d'éradiquer les maux

Dupont Ford
St-Luc
Dupont Ford

Le pouvoir humain de corriger les défaillances

Rx
DONNEZ
ICI
La Marque Personnelle
Personnelle
PJC
JEAN COUTU

Le pouvoir humain de soigner les gens

17
1.190
Thomas&Betts

**Le pouvoir humain de fabriquer les biens**

makita

LES CONSTRUCTIONS
JEM plus
Spécialiste en rénovation!

L22636

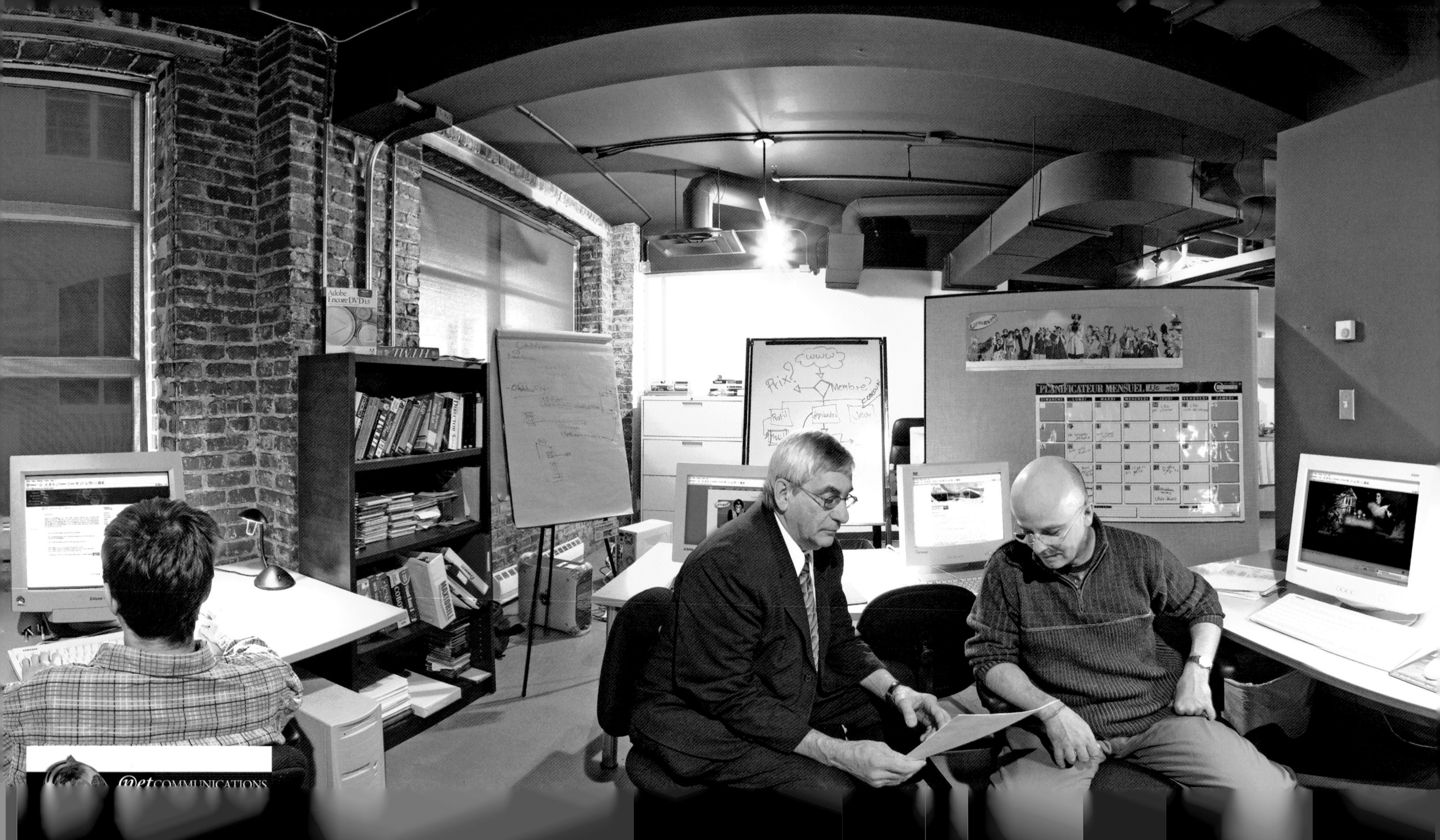
Adobe
Encore DVD 1.5
www
Prix?
Membre?
PLANIFICATEUR MENSUEL
netCOMMUNICATIONS

Le pouvoir humain de parcourir le virtuel

L'AUBAINERIE
CONCEPT
Mode
SORTIE
ENTRÉE
RESTAURANT-BAR
605
incognito
L'AUBAINERIE
quand on a le sens des valeurs

Le pouvoir humain de vêtir les personnes

Auberge
HARRIS
Salles de conférence
Suites luxueuses
Sauna
Piscine
Salle d'exercices

Auberge
HARRIS

**Le pouvoir humain d'héberger le passant**

Le pouvoir humain de cultiver la terre

Jacques-Cartier Nord

**Le pouvoir humain d'approvisionner la table**

LE COQ
RAPIDE
Comptoir
Rôtisserie
Salle à man

Le pouvoir humain d'assouvir la faim

Antoine Rodier

Pierre Sigouin

Micheline Proulx

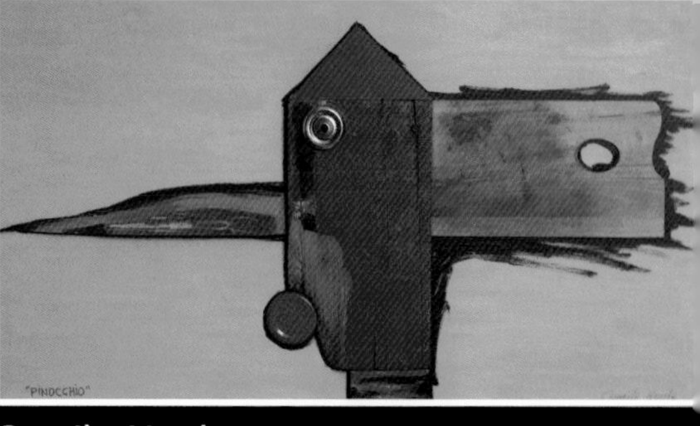

Camile Houle

Michèle Benoit

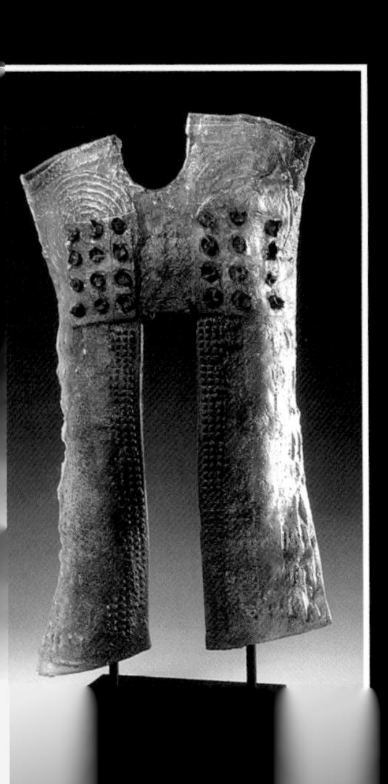

Louise Levesque

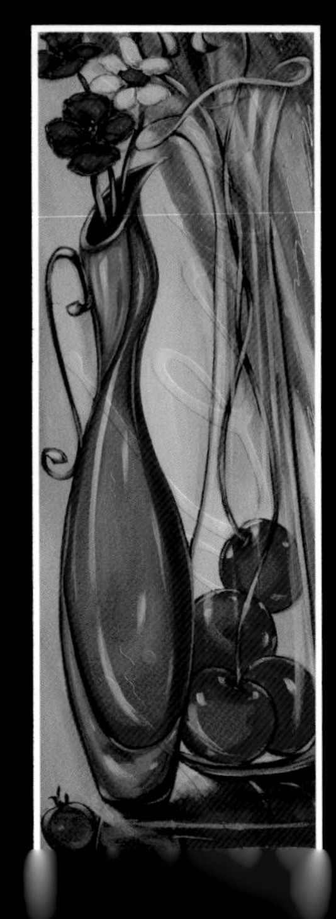

Louise Guay

Danielle Duquette

Lorraine Doucet

Jean Quintin

Mireille Molleur

Diane Ladouceur

Fernand Brunelle

Marcel Poirier

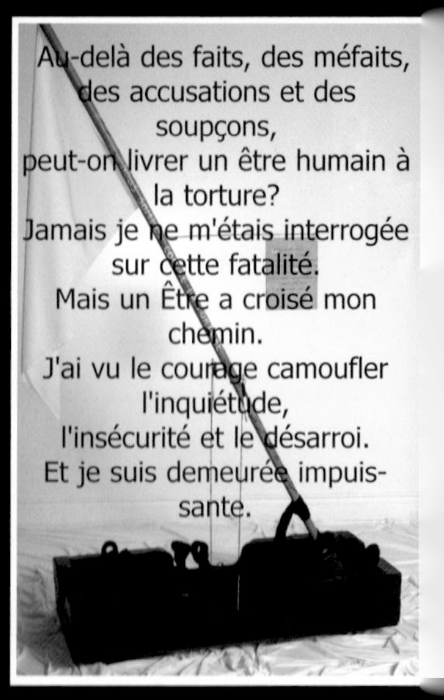

Au-delà des faits, des méfaits,
des accusations et des
soupçons,
peut-on livrer un être humain à
la torture?
Jamais je ne m'étais interrogée
sur cette fatalité.
Mais un Être a croisé mon
chemin.
J'ai vu le courage camoufler
l'inquiétude,
l'insécurité et le désarroi.
Et je suis demeurée impuis-
sante.


Annie Choquette

Patrick Rondeau

La coop créative

**Le pouvoir humain de traduire notre culture**

Machineries
isoTOP
Les Produits Industriels
RGI (2001) INC.
Industrial Products

114 à 117

DORADO

Le pouvoir humain d'inventer l'avenir

BAILLARGEON
Bâtir pour durer

**Le pouvoir humain d'emprunter des ressources à la terre**

118 à 121

CHAMPLAIN

ST-CHARLES

**Situé au cœur du centre-ville, le Collège commercial Marcoux a dispensé une excellente formation entre 1933 et 1960. La qualité de cette institution de prestige, fondée par Alcide Marcoux, lui a valu une très solide réputation. Le designer Réal Boulanger a voulu que l'édifice, dont il est aujourd'hui propriétaire, conserve sur ses murs de briques les affichettes de nom de rues telles qu'on les apposait typiquement à l'époque.**

Chapitre 5

# Des valeurs et des convictions

Le travail bien fait, l'exigence de la qualité et l'engagement au sein de la communauté telles sont des valeurs essentielles des gens d'ici. Une bonne éducation revêt aussi une grande importance. De la première petite école fondée par les Sœurs Grises en 1829, en passant par tous les établissements dont le milieu s'est doté depuis, nos institutions actuelles assurent le relais de brillante façon. Ainsi, la Commission scolaire des Hautes-Rivières, le Collège des Frères Maristes et le Cégep Saint-Jean-sur-Richelieu préparent les prochaines générations sous le sceau de l'excellence

Les gens d'ici sont aussi des gens de conviction comme en témoigne le patrimoine religieux omniprésent. Dans le Haut-Richelieu, les diverses églises s'épanouissent dans la tolérance et l'ouverture d'esprit. Elles se côtoient fraternellement et ce respect fait en sorte que tout le monde se retrouve avec joie dans les lieux publics, les agoras comme les festivals. On célèbre donc tous ensemble la Fête nationale : quoi de plus naturel que de fêter la Saint-Jean à Saint-Jean! Et en même temps qu'une façon de vivre qui fait notre fierté, c'est tout un héritage que nous léguons, une architecture riche et des intérieurs chaleureux, des églises et des maisons, des gares et des écluses, un patrimoine à la fois urbain et rural que nous préservons avec soin parce que nous avons le sens de l'histoire. Le visiteur constatera que, plus qu'ailleurs, nous inscrivons des dates partout pour tenir vive la mémoire collective.

---

Craftsmanship, mindfulness of quality and commitment within the community are the essential values of the people living here. A good upbringing takes on great importance too. Since the first little school founded by the Grey Nuns in 1829, going through all the establishments that our region has acquired since, our present institutions ensure a solid follow-up. Hence, the Hautes-Rivières School Board, the Marist Brothers College and the Saint-Jean-sur-Richelieu College prepare the next generations under the mark of excellence.

People from here are also people of conviction as shown by the omnipresent religious heritage. In the Haut-Richelieu, the many churches blossom in a spirit of tolerance and openness. They mix with each other fraternally and this respect makes everybody happy in public places, central squares and festivals. So we celebrate all together the "Fête nationale": what could be more natural than to celebrate the Saint-Jean-Baptiste in Saint-Jean! And along with a way of living which makes us proud, it is an entire heritage that we hand down; stylish architecture and warm interiors, churches and houses, train stations and locks, an urban as well as a rural heritage that we keep with great care because we have a sense of history. The visitor will notice that, also because here more than elsewhere, we write down dates everywhere to keep our collective memory alive.

*La poursuite de l'excellence...*

L'enseignement supérieur est accessible à tous ici même à Saint-Jean-sur-Richelieu, ville et région. En 1968, le Cégep Saint-Jean-sur-Richelieu a pris le relais du Séminaire et il offre, depuis lors, une formation de qualité dans quatre domaines préuniversitaires et quatorze programmes professionnels.

A

B

Les Frères Maristes ont été fondés en 1817 à La Valla en France (A). En 1885, ils sont arrivés à Iberville et ont habité ce qu'on a appelé le Berceau (B).

Saint-Alexandre

Saint-Jean-sur-Richelieu

Saint-Jean-sur-Richelieu

Lacolle

Saint-Valentin

Henryville

Saint-Blaise-sur-Richelieu

Saint-Alexandre

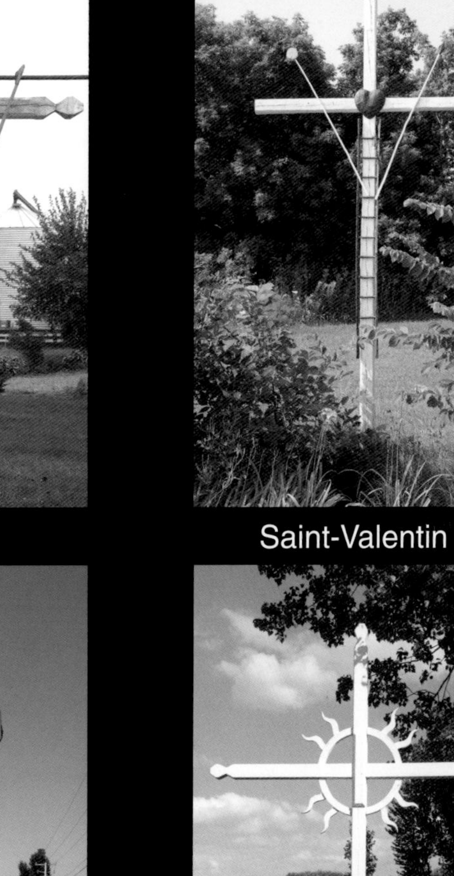

Noyan

Saint-Valentin

Saint-Blaise-sur-Richelieu

Saint-Jean-sur-Richelieu

Mont Saint-Grégoire

Saint-Jean-sur-Richelieu

# Église Saint-James

L'église anglicane Saint-James, construite en 1816, est ornée de magnifiques vitraux. Elle recèle une crypte contenant le sarcophage de madame Augusta Baldwin, honorée ainsi à cause de sa légendaire générosité. Seulement une autre église anglicane du Québec possède un tel caveau. Traditionnellement, c'est dans ce temple que les élèves officiers réclamaient annuellement le droit de cité.

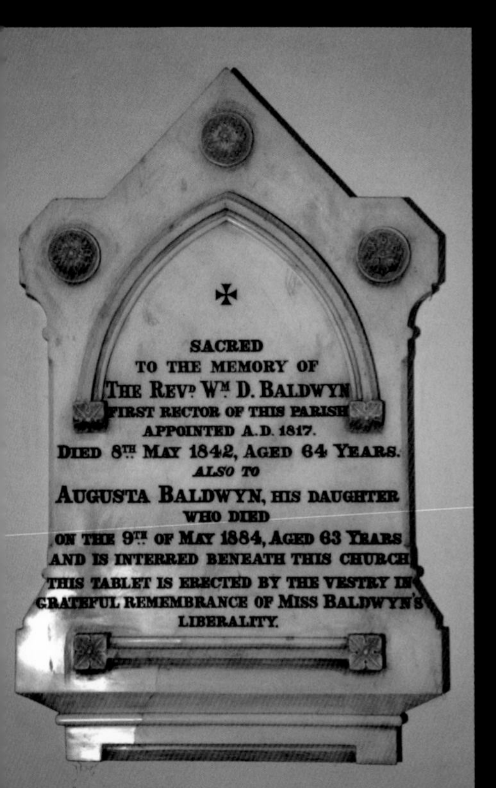

SACRED
TO THE MEMORY OF
THE REVD WM D. BALDWYN
FIRST RECTOR OF THIS PARISH
APPOINTED A.D. 1817.
DIED 8TH MAY 1842, AGED 64 YEARS.
ALSO TO
AUGUSTA BALDWYN, HIS DAUGHTER
WHO DIED
ON THE 9TH OF MAY 1884, AGED 63 YEARS
AND IS INTERRED BENEATH THIS CHURCH
THIS TABLET IS ERECTED BY THE VESTRY IN
GRATEFUL REMEMBRANCE OF MISS BALDWYN'S
LIBERALITY.

256
333
401
426

THE LORD IS MY SHEPHERD

FONDERIE
DE CLOCHES
C.WAUTHY
A DOUAI (NORD)

# Cathédrale Saint-Jean l'Évangéliste

La paroisse Saint-Jean l'Évangéliste fut fondée en 1828. À l'origine, la façade de l'église donnait sur la rue Jacques-Cartier, tout comme celle de l'église Saint-James. Quand on l'a agrandie de 1923 à 1924 pour en faire une cathédrale, on l'a retournée et depuis, l'entrée principale se trouve sur la rue Longueuil. Ce temple magnifique, qui fait la fierté des citoyens, possède cinq cloches, chacune ayant son propre nom : Sainte-Anne, un la dièse pesant 1044 livres; Saint-Jean-Baptiste, un sol de 1720 livres; Joseph-Edmond, un fa de 2528 livres; Saint-Paul, un ré dièse de 3508 livres; et, la plus grosse, Saint-Jean, un la dièse de 8385 livres! C'est elle qui figure ici.

# Église Saint-Athanase

Nos églises sont réputées pour la beauté de leur choeur et de leur nef, mais un autre aspect fascinant de leur personnalité est indéniablement le génie architectural des charpentes comme en témoigne cette vue de l'entretoit de l'actuelle église de Saint-Athanase inaugurée en 1914. Dotée d'une acoustique exceptionnelle, elle accueille régulièrement de grands événements comme le concert annuel de l'Association de paralysie cérébrale du Québec dont le président est Joseph Khoury.

136 à 139

Sunlight
C-GCXP

Place publique du Vieux-Saint-Jean et parc Alcide-Marcoux

C-FDPK

C-FDFW
G-DADDY

OUVERT

LE CAMEMBERT
1791
Vallée
Toni Joghurt
ICG

L'International de montgolfières de Saint-Jean-sur-Richelieu,
une fête familiale, un festival haut en couleur

**Le 24 juin, jour anniversaire de Saint-Jean-Baptiste, tout le monde se rassemble pour les festivités de la Fête nationale. Spectacles, défilé, feux d'artifice, les réjouissances sont nombreuses!**

**À droite, la Maison Gustave-Signori, le siège social de la Société nationale des Québécoises et des Québécois Richelieu-Saint-Laurent**

Le
Samuel II
Le
Samuel II

**Le patrimoine urbain témoigne d'un souci constant de la qualité de l'architecture.**

Avec passion...
MEUBLES
DENIS RIEL

**Cet intérêt architectural se traduit notamment par une magnifique réplique de bâtisses de la ville de Québec à**

DYNASTAR
Speed
2 pour 8

LE
LUX
RESTO · BAR · CAFÉ

**Nos commerçants soignent particulièrement bien le décor de leurs établissements et plusieurs intérieurs méritent qu'on s'y attarde un moment, comme le démontre ce restaurant de Saint-Jean-sur-Richelieu ou la boutique de Saint-Valentin présentée aux pages suivantes.**

*La Maison St-Valentin*

Antiquaire

Quelques éléments de l'architecture urbaine

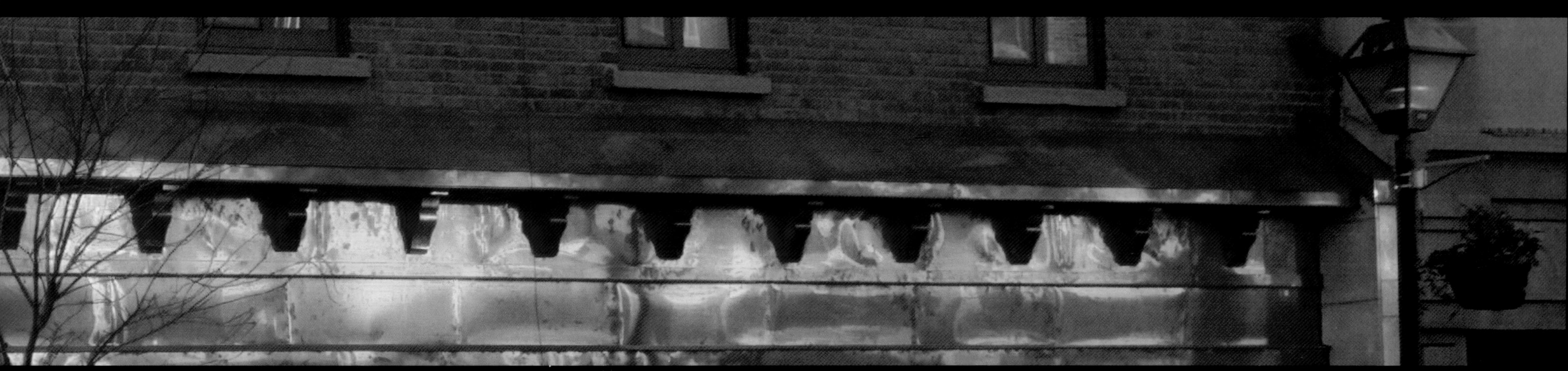

Une rue de Saint-Jean-sur-Richelieu

DESRANLEAU

LECUYER

1608
HANDSCHIN
1608

Un chemin rural de Saint-Jean-sur-Richelieu

Parmi les plus remarquables éléments du patrimoine rural, le complexe représenté ici figure parmi les plus exceptionnels. Il s'agit de l'église Sainte-Marguerite de Blairfindie, construite en 1801, du presbytère et de la maison du bedeau qui sont situés juste en périphérie du village historique de L'Acadie.

Circuit du Paysan
1
"Il était une fois... Une Petite Colonie"
CENTRE D'INTERPRÉTATION

CAMP DE JOUR:
DU 27 juin au 26 août
346-1630 journée semaine
Pour les 5 à 12
Bricolage jardinage
MASSEY HARRIS
Fordson

**Dans le village historique de L'Acadie, deux institutions consacrent leurs activités à conserver et à mettre en valeur notre passé rural; il s'agit du centre d'interprétation du patrimoine acadien Il était une fois... une petite colonie, ainsi que le musée agricole Aux Couleurs de la campagne.**

**La première voie ferrée au Canada reliait La Prairie et Saint-Jean-sur-Richelieu et la première liaison eut lieu en 1836 grâce à la locomotive Dorchester. La gare actuelle du Canadien national a été construite en 1891. Elle abrite le bureau d'information touristique de l'Office du Tourisme et des Congrès du Haut-Richelieu.**

3613
3613
3613
20

20

**Notre premier chef de gare a été Napoléon Hébert. Il était le grand patron de la gare du Canadien pacifique, construite en 1887 le long de la voie ferrée reliant Montréal à Halifax via Sherbrooke. Elle a connu ses heures de gloire lors de la venue d'illustres visiteurs. De nos jours, elle a été transformée en relais pour les cyclistes de la Route verte.**

**Avant d'être inauguré en 1843, le canal de Chambly a demandé à une courageuse équipe de 550 hommes, parfois même plus de 1000, quelque douze années de labeur, au pic et à la pelle, douze heures par jour. Par la suite, pendant plus d'une centaine d'années, des barges ont gravi ses neuf écluses pour aller livrer nos produits forestiers sur le marché de New York. De nos jours, le canal contribue toujours à la vitalité économique de la région puisqu'il est au cœur des activités de nautisme. C'est Parcs Canada qui met en valeur cette ancienne voie de communication si agréable pour les résidents, les plaisanciers, les cyclistes et les touristes.**

1805
IR

1817

1823

MDCCCXXVIII

ST LUC
1877

E. DION
1907

1921

1907

1932

1936

·1939·

1945
EDIFICE
GOYETTE

1946

MESS ET RÉSIDENCE
DU COMMANDANT
CONSTRUIT EN 1839

**Pour tenir vive notre mémoire collective, nous avons inscrit des dates partout, nous y avons laissé notre marque.**

Chapitre 6

# Nos ambassadeurs du milieu

Ce livre nous parle des mille facettes de l'amour que nous partageons avec tous les gens qui, depuis près de quatre cents ans, ont façonné le paysage que nous habitons. Nous y avons mis la sueur et la peine, la réussite et la joie, notre culture et nos espoirs. À bien regarder, comme le fait le photographe, nous touchons au plaisir de vivre ici et d'aimer notre ville, Saint-Jean-sur-Richelieu.

Nous prêtons parfois peu d'attention à ce paysage habité, fait et refait selon nos besoins passés et présents et nous en connaissons peu l'histoire. Elle est pourtant illustrée sur la façade de l'hôtel de ville depuis plus de cinquante ans. Elle habite tant de maisons et de bâtiments de toutes sortes. On la trouve dans le nom des rues et chemins, mais elle se cache aussi dans nos habitudes de vie et dans le plaisir de former une communauté.

Marcher dans la ville, arpenter la région et noter les richesses que nous nous sommes données, c'est l'objectif de ce magnifique ouvrage qui parle de nous à travers les ans et à même les trésors multiples de nos valeurs d'hier et d'aujourd'hui.

À partir d'un simple fort en bois, Saint-Jean-sur-Richelieu a créé une culture visible dans ses paysages, son architecture et ses institutions. Notre ville et notre région nous ressemblent, nous rassemblent et grandissent avec nous tous. Il ne nous reste plus qu'à préserver ce patrimoine, à l'embellir et accueillir les autres qui verront dans ces pages tout ce que l'on a de beau à offrir. Nous vous attendons.

Gilles Dolbec
Maire de la Ville de Saint-Jean-sur-Richelieu

www.ville.saint-jean-sur-richelieu.qc.ca

*This book tells of the thousand faces of the love that binds us to all those who, for nearly four hundred years, have shaped this landscape we now call our own. This book is filled with our sweat and toil, our many successes and joys, and with the culture and hopes we all share. When we look closely —as the photographer does— we can reach out and touch the very pleasure of living here, and the love we have for Saint-Jean-sur-Richelieu, our city.*

*We may at times pay little attention to this inhabited landscape that has been shaped and reshaped to suit our needs, past and present. And some of us may know little of its history, even though it has been proudly displayed on the façade of our town hall for the past fifty years. Yet, our history lives and breathes in so many of our houses and buildings. We can read it in the names of our streets, our roads, our byways. We can catch its reflection in the way we live our lives, and in the pleasure we feel in being part of such a strong community.*

*To have readers walk our city, travel our region, discover the riches we have provided for ourselves: this is what this wonderful book aims to do. Its pages tell of who we are and who we have been throughout the years and highlight the many treasures that speak of our values, today and yesterday.*

*From the simple wooden fort of its origins, Saint-Jean-sur-Richelieu has created a culture reflected in its landscapes, its architecture, its institutions. Our city and our region resemble us, bring us together, and grow as we all grow together. All we need to do is to preserve our heritage, add to it, and welcome those who, through this book, will discover all that is so beautiful in our midst. We will be expecting their visit with pride and joy.*

*Gilles Dolbec*
*Mayor of the City of Saint-Jean-sur-Richelieu*

## Claude Bachand

Député de la circonscription
fédérale de Saint-Jean

315, rue MacDonald, bureau 117
Saint-Jean-sur-Richelieu (Québec) J3B 8J3
Téléphone : (450) 357-9100
claudebachand@videotron.ca

## Cégep Saint-Jean-sur-Richelieu

30, boul. du Séminaire Nord
Saint-Jean-sur-Richelieu (Québec) J3B 7B1
Téléphone : (450) 347-5301
www.cstjean.qc.ca
pauline.cloutier@cstjean.qc.ca

## Conseil Économique du Haut-Richelieu

315, rue MacDonald, bureau 301
Saint-Jean-sur-Richelieu (Québec) J3B 8J3
Téléphone :(450) 359-9999
cldhautrichelieu@haut-richelieu.qc.ca
www.haut-richelieu.qc.ca

## Jean-Pierre Paquin

Député comté de Saint-Jean

Adjoint parlementaire à la ministre de la Famille, des Aînés et de la Condition féminine
Président du caucus libéral de la Montérégie


249, rue Laurier, 2e étage
Saint-Jean-sur-Richelieu (Québec) J3B 6K7
Téléphone : (450) 346-3040
Courriel : jpaquin@assnat.qc.ca
www.jeanpierrepaquin@qc.ca

## Jean Rioux

Député comté d'Iberville

Adjoint parlementaire au Ministre du Travail


420, 2e Avenue, bureau 151
Saint-Jean-sur-Richelieu (Québec) J2X 2B8
Téléphone : (450) 346-2879
Courriel : jrioux@assnat.qc.ca
www.jeanrioux.qc.ca

## Corporation du Fort Saint-Jean


15, rue Jacques-Cartier Nord
Saint-Jean-sur-Richelieu (Québec) J3B 8R8
Téléphone :(450) 358-6601
cfsj@cfsj.qc.ca
www.cfsj.qc.ca

**P. Baillargeon Ltée.**

800, rue des Carrières
Saint-Jean-sur-Richelieu
(Québec) J3B 6Z4
Tél.: (450) 346-4441
info@pbaillargeon.com
www.pbaillargeon.com

---

**Les Produits Industriels RGI**

745, rue Pierre-Caisse
Saint-Jean-sur-Richelieu
(Québec) J3B 7Y5
Tél.: (450) 348-4950
www.isotop.com
www.rgicanada.com

---

**Thomas&Betts**

700, avenue Thomas
Saint-Jean-sur-Richelieu
(Québec) J2X 2M9
Tél.: (450) 357-3501
Fax: (450) 357-3521
www.tnb-canada.com

## Le Samuel II

291, rue Richelieu
Saint-Jean-sur-Richelieu
(Québec) J3B 6Y3
Tél.: (450) 347-4353
Fax: (450) 347-2255
ghuet@hotmail.com
www.lesamuel.com

---

## Nadine Réon

550, boul. du Séminaire Nord
Saint-Jean-sur-Richelieu
(Québec) J3B 5L6
Tél.: (450) 349-5883
nadinereon@ royallepage.ca
www..nadinereon.com

---

## Net Communications Inc.

1, chemin de l'Aéroport
Saint-Jean-sur-Richelieu
(Québec) J3B 7B5
Tél.: (450) 346-3401
Tél.: (514) 871-1844
info@netc.net
www.netc.net

845, boulevard d'Iberville
Saint-Jean-sur-Richelieu (Québec) J2X 4A5
931, boulevard du Séminaire Nord
Saint-Jean-sur Richelieu (Québec) J3A 1B6
Tél.: (450) 347-Paré (7273) # 223
pierre.pare@groupeici.com
www.pareassurance.com

---

Premier Chrysler-Dodge Jeep Inc.
390, rue Laberge
Saint-Jean-sur-Richelieu (Québec) J3A 1G5
Tél.: (450) 348-7366
Tél.: (514) 856-7859
www.premierchrysler.ca

---

354, chemin des Patriotes Est
Saint-Jean-sur-Richelieu (Québec) J2X 4J3
Tél.: (450) 358-1464
jem@jemplus.qc.ca
www.jemplus.qc.ca

232-234, rue Richelieu
Saint-Jean-sur-Richelieu (Québec) J3B 6X8
Tél.: (450) 347-2232
commentaires@restobarlelux.com
www.restaubarlelux.com

---

Fernand Lachance
pharmacien propriétaire

947, boulevard du Séminaire Nord
Saint-Jean-sur-Richelieu
(Québec) J3A 1K1
Tél.: (450) 348-9251
www.jeancoutu.com

---

50, 62 [e] Avenue
Saint-Paul-de-l'ile-aux-Noix (Québec) J0J 1G0
Tél.:(450) 291-3336
Tél.:(514) 875-8080
www.marinagagnon.com.

**MRC du Haut Richelieu**
380, 4e Avenue
C.P. 899, succ. Iberville
Saint-Jean-sur-Richelieu
(Québec) J2X 1W9
Tél.: (450) 346-3636
mrchrich@netc.net
www.mrchr.qc.ca

---

**Les Frères Maristes**

14, chemin des Patriotes Est
Saint-Jean-sur-Richelieu (Québec) J2X 5P9
Tél.: (450) 347-5343
www.freresmaristes.qc.ca
www.champagnat.org

---

**Centre Funéraire**
**Oligny & Desrochers Ltée**

110, rue Saint Georges, Saint-Jean-sur-Richelieu
826, 1re Rue (Iberville), Saint-Jean-sur-Richelieu
247, rue Saint-Joseph Sud, Mont-Saint-Grégoire
Tél.: (450) 346-1124 Tél.: (514) 990-9771
info@olignydesrochers.ca
www.olignydesrochers.ca

**Dupont Ford Ltée.**

190, rue Moreau, Saint-Jean-sur-Richelieu
(Québec) J2W 2M4
Tél.:(450) 359-3673
www.dupontford.com

---

*La Maison St-Valentin*

Antiquaire

901, 4e Ligne, Saint-Valentin
(Québec) J0J 2E0
(à 15 minutes de Saint-Jean-sur-Richelieu)
Tél.: (450) 291-3700
www.lamaisonstvalentin.com

---

SM

**RBI Experts-Conseils inc.**
Une division du Groupe S.M. International inc.

109, rue Richelieu, bureau 100
Saint-Jean-sur-Richelieu (Québec) J3B 6X2
Té.l: (450) 347-7888
rboucher@groupesm.com
www.groupesm.com

**REAL BOULANGER DESIGN**
244, rue Champlain
Saint-Jean-sur-Richelieu (Québec) J3B 6V8
(450) 346-7765 télec: (450) 346-8291
e-mail : rbdi@bellnet.ca
www.realboulanger.com

---

**Le Coq Rapide**
365, boulevard du Séminaire Nord
Saint-Jean-sur-Richelieu
(Québec) J3B 8C5
Tél.: (450) 348-1191
info@coqrapide.com
www.coqrapide.com

---

**Auberge Harris**
576, rue Champlain
Saint-Jean-sur-Richelieu
(Québec) J3B6X1
Tél.: (450) 348-3821
info@aubergeharris.com
www.aubergeharris.com

**Le Nautique St-Jean**
55, rue Richelieu
Saint-Jean-sur-Richelieu
(Québec) J3B 6X2
Tél.: (450) 347-2341
www.lenautique.com

**L'Aubainerie Concept Mode**
645, rue Pierre-Caisse
Saint-Jean-sur-Richelieu
(Québec) J3A 1P1
Tél.: (514) 946-9896
Tél.: (450) 348-1001
aubainerie31@aubainerie.com
www.aubainerie.com

370, rue Laberge
Saint-Jean-sur-Richelieu
(Québec) J3A 1G5
Tél.: (450) 348-0006
1470, rue Saint-Paul Nord
Farnham (Québec)
Tél.: (450) 293-3605
meublesdenisriel@bellnet.ca

## Les Caisses populaires Desjardins !

# Une force économique et humaine, des gens bien de chez nous

Fidèles à leur mission de contribuer au mieux-être économique et social des personnes et des collectivités, les Caisses populaires Desjardins sont des témoins engagés de l'essor de notre milieu. Elles partagent avec les gens d'ici les mêmes valeurs : l'argent au service du développement humain, de l'engagement personnel, l'action démocratique, l'intégrité, la rigueur et la solidarité.

Les Caisses se distinguent par leur enracinement, l'engagement quotidien des dirigeants élus et des employés envers la collectivité. Rien de ce qui fait vibrer Saint-Jean-sur-Richelieu, ville et région, ne leur est étranger. Quand les gens d'ici se mobilisent, les Caisses sont à l'écoute. Elles se sont d'emblée associées aux efforts du milieu contre le décrochage scolaire en contribuant à promouvoir auprès de nos jeunes, l'importance de persévérer dans leurs études jusqu'à l'obtention d'un diplôme qualifiant. L'aire d'accueil et de restauration du Centre hospitalier du Haut-Richelieu s'appelle désormais le Foyer Desjardins parce que, lorsque nous avons lancé l'appel, elles ont généreusement répondu : « présent ! » Et les Caisses ont été là pour nous quand nous avons entrepris de nous nantir d'un Théâtre des Deux-Rives à la hauteur de nos aspirations culturelles en le dotant d'un superbe et chaleureux foyer, l'Espace Desjardins.

Ce n'est pas tant que les Caisses aient contribué plus de 750 000 $ au total pour ces projets qui compte le plus. C'est surtout que, pour notre région comme pour tout le Québec, les Caisses constituent un constant rappel que l'avenir d'une communauté passe par sa capacité de savoir vaillamment conjuguer avoirs et êtres. Rien d'étonnant non plus à ce que la plupart des gens d'ici soient aussi de fiers membres des Caisses populaires Desjardins. Les Caisses et nous, c'est une histoire de partenaires, de coopération et d'amitié...

# Faits saillants

## Chronologie

| | |
|---|---|
| 125 000 000 avant J.-C. | Naissance du mont Saint-Grégoire. C'est à l'époque du crétacé que des intrusions de magma dans la croûte terrestre, qui ne la perceront pas et ne deviendront pas des volcans, donnent naissance aux montérégiennes. |
| 16 000 av. J.-C. | Nous sommes à l'apogée de la glaciation du Wisconsin et notre territoire est recouvert par l'inlandsis laurentidien, trois kilomètres d'épaisseur de glace. Sa fonte commence et durera environ 8000 ans. |
| 12 500 av. J.-C. | Le front glaciaire est à nos portes. |
| 11 000 av. J.-C. | Il est probable que les représentants les plus nordiques des peuples venus d'Asie et les Solutréens venus de France aient déjà commencé à explorer nos parages à cette époque. |
| 10 800 av. J.-C. | Les glaces se sont retirées au-delà du Saint-Laurent, l'eau salée envahit notre territoire déprimé par le poids de la glace. Pour la première fois, le drainage s'organise vers l'Atlantique, mais nous sommes recouverts par la mer de Champlain. Le mont Saint-Grégoire est alors une île d'un archipel formé par les montérégiennes. |
| 8 200 av. J.-C. | Le rééquilibrage isostatique se poursuit et la croûte terrestre remonte progressivement à sa position actuelle. La mer s'est retirée, mais, dans les dépressions, l'eau douce s'accumule. Le Richelieu s'organise. Il va du lac Champlain, plus vaste qu'aujourd'hui, coule jusqu'au lac de Montréal, dont les rives sont à la limite nord de Saint-Jean-sur-Richelieu et dont il ne subsiste que le bassin de Chambly, puis débouche dans le lac Lampsilis qui a laissé place au Saint-Laurent et au lac Saint-Pierre. |
| 6 500 av. J.-C. | Les autochtones occupent le territoire pour pêcher et chasser. Il ne semble pas qu'ils y aient établi des villages, mais différentes nations s'y sont combattues. |
| 1603 | Champlain campe sur le site de l'actuel Fort Chambly. |
| 1609 | Champlain vient au site de l'actuel Fort Saint-Jean et il explore le Haut-Richelieu. |
| 1663 | Le 5 février, à 17:30, la région subit un terrible tremblement de terre. Il ébranle le Québec, une partie du Canada et du nord des États-Unis. Il y a de nombreuses répliques jour et nuit, jusqu'à l'été, puis sporadiquement par la suite, jusqu'en hiver. |
| 1665-1666 | Pour contrôler les offensives iroquoises, le régiment Carignan-Sallières construit le premier fort de Chambly (fort Saint-Louis) et celui de l'île Sainte-Thérèse en 1665, ainsi que le premier fort de Saint-Jean l'année suivante (fort L'Assomption). |
| 1694 | Bataille de l'Île-aux-Têtes. |
| 1698 | Établissement de la Baronnie de Longueuil (incluant L'Acadie, Saint-Jean et Saint-Luc). |
| 1701 | La grande Paix de Montréal met un terme aux guerres avec les autochtones. |
| 1733 | Concession des seigneuries de Lacolle et de Léry du côté ouest, et Bleury, Sabrevois, Noyan et Foucault du côté est de la Richelieu. |
| 1740 | René Boileau et Marie-Anne Robert sont les premiers à s'installer aux confins du pays, à Saint-Paul-de-l'Île-aux-Noix; ils sont bientôt rejoints sur l'île par Pierre Jourdenet qui paye son loyer annuel au seigneur de Noyan avec une poche de noix, d'où le nom. |
| 1742-1763 | Joseph Payant dit Saintonge est le premier transporteur commercial de marchandises et de passagers entre Saint-Jean et les établissements du lac Champlain. Sa goélette jaugeant 45 tonneaux s'appelle la Vigilante. On lui concède une terre au sud du fort Saint-Jean en 1755. Il préférera s'établir à Chambly pour sa retraite. |
| 1748 | Première route reliant La Prairie à Saint-Jean, tracée par Jean Eustache de Lanouiller. |
| 1748 | Reconstruction du fort Saint-Jean, par Joseph-Gaspard Chaussegros de Léry. |
| 1753 | Près du fort, le hameau de Saint-Jean compte désormais une quinzaine de familles qui entreprennent véritablement de développer la région. |
| 1756-1760 | La guerre de la Conquête connaît de nombreux épisodes dans notre région. Les soldats français incendient volontairement le deuxième fort de Saint-Jean. Quelques mois à peine après leur victoire contre les Français, les Britanniques le reconstruisent. |
| 1763 | Des Acadiens arrivent par vagues successives dans la région et s'établissent dans la région qui est aujourd'hui L'Acadie. |
| 1764 | Vente par Clément de Sabrevois, sieur de Bleury, à Gabriel Christie et Moses Hazen, de la concession où se développeront Saint-Athanase et Iberville. À cette époque, on désigne cette zone comme étant les Mille-Roches ou le hameau de Bleury. |
| 1776 | Établissement d'un chantier naval au fort Saint-Jean. |
| 1776-1783 | Beaucoup de loyalistes, qui désirent rester fidèles à la Couronne britannique après l'indépendance des États-Unis, décident de s'installer dans le Haut-Richelieu, notamment à Clarenceville, Henryville, Noyan et Lacolle. Plus de 200 d'entre eux se fixent à Saint-Jean. Depuis lors, ce sont des compatriotes dont l'implication dans l'essor de notre milieu est inestimable. |
| 1784 | Érection de la paroisse de Sainte-Marguerite-de-Blairfindie (L'Acadie). |
| 1787 | Établissement du premier poste douanier à Saint-Jean. |
| 1790 | David Alexander Grant, baron de Longueuil, attribue au territoire de Saint-Jean le nom de Dorchester. La population est réticente. Vers 1812, il finira par y renoncer. |
| 1790 | Le premier relais pour voyageurs est établi sur la route La Prairie – Saint-Jean à la hauteur de l'actuel chemin Grand-Bernier. |
| 1795 | Le hameau de Saint-Jean est devenu un véritable village comptant une centaine de maisons, des commerces et des auberges. |
| 1797 | Un promoteur du Vermont, Ephraim Mott, et les trois frères François, Louis et Gabriel Marchand, installent un bac entre Dorchester (Saint-Jean) et Christieville (Iberville). |
| 1803 | Premier commerce de bois important, Gabriel Marchand et cie. |
| 1809 | Essor hôtelier à Saint-Jean. |
| 1812 | Premier bureau de poste au fort Saint-Jean. |
| 1812-1814 | Les Américains envahissent le Canada pour en faire leur quatorzième état. Notre région vit de violents combats. Les 750 soldats du fort Saint-Jean, qui sert aussi d'arsenal aux troupes britanniques, résistent et repoussent les agresseurs américains. |
| 1815 | Première tannerie, James McCumming and Son. |
| 1816 | Construction du plus vieux temple religieux de Saint-Jean, l'église Saint-James. |
| 1819-1829 | Construction du Fort Lennox actuel. |
| 1823 | Érection de la paroisse de Saint-Athanase-de-Bleury. |
| 1822 | Saint-Jean est le quatrième port en importance au Canada. |
| 1825-1827 | Premier inspecteur et syndic du village de Saint-Jean, ville de Dorchester : John Gray. |
| 1826 | Construction du pont blanc, en bois, par Robert E. Jones. Le passage est tarifé. |



**Les rives du lac Montréal asséché, à la limite de Saint-Jean-sur-Richelieu et Carignan**

| | |
|---|---|
| 1828 | Érection de la paroisse catholique et construction de l'église Saint-Jean l'Évangéliste. |
| 1829 | Les Sœurs Grises ouvrent une école, un orphelinat et un hospice près de l'église Saint-Jean l'Évangéliste. |
| 1836 | Premier chemin de fer canadien entre La Prairie et Saint-Jean. |
| 1837-1839 | La Révolte des Patriotes donne lieu à de nombreux événements dans la région, notamment à L'Acadie, Napierville, Odelltown et Lacolle. |
| 1839 | Le *Rapport Durham* recommande une organisation du milieu local dont les dispositions « donneraient au peuple une certaine autorité sur ses affaires régionales ». On commence donc à planifier l'organisation municipale. |
| 1840 | Moses Farrar et Isaac Newton Soule implantent la première fabrique de grès et de céramique au Canada, la St.John's Stone Chinaware Company. D'autres entreprises s'ajoutent, si bien que l'on fabrique dans la région, pendant quelque soixante-quinze ans, des pots de grès, de la vaisselle de faïence, de la poterie sanitaire, de la brique, des tuyaux de drainage et même du verre. Saint-Jean sera, durant cette période, l'incontestable capitale canadienne de la poterie. |
| 1841 | Établissement de la Trinity Church à Iberville, dont c'est la seule église anglicane. |
| 1841 | Construction du Butcher's Hall, la place du Marché de Saint-Jean. |
| 1841-1845 | Le territoire actuel de notre MRC est inclus dans le vaste district municipal de Saint-Jean. Celui-ci va du fleuve Saint-Laurent à la Baie Missisquoi et à la frontière américaine, et comprend notamment les corporations locales de Caughnawaga (Kanawake), Longueuil et Saint-Bruno. Le chef-lieu est Saint-Jean et le préfet est William McGinnis (1795-1880) de Saint-Athanase. |
| 1843 | Ouverture du canal de Chambly le 17 novembre. La navigation est désormais possible entre Sorel et New York, et cet axe de transport est de première importance. |
| 1845 | Établissement de toutes les municipalités locales dont l'évolution conduira à terme l'actuelle composition de notre municipalité régionale de comté (MRC). |
| 1845 | Première assemblée des délégués pour notre région. Elle a eu lieu à Saint-Cyprien (dans ce qui est aujourd'hui le village de Napierville) et a été présidé par le premier maire de Saint-Valentin, Joseph Bissonnette (1806-1899). |
| 1846 | Le village de Christieville (Iberville) se détache de Saint-Athanase. |
| 1847 | Les dames de la Congrégation de Notre-Dame fondent le premier couvent pour jeunes filles à Saint-Jean. |
| 1847-1855 | Saint-Jean et les municipalités au nord sont inclues dans le comté de Chambly, qui va jusqu'au Saint-Laurent et inclut Longueuil et Boucherville (siège de comté : Chambly). Saint-Valentin et Lacolle sont regroupés avec Saint-Joachim de Châteauguay et La Nativité de Notre-Dame de Laprairie de la Magdeleine (qui est le siège de comté) dans le comté de Huntingdon. La rive est de la Richelieu est incluse dans le comté de Rouville (siège de comté : Saint-Athanase). |

## Quelques mots d'ici

**Bande du canal** n.f. Chemin de bief qui permettait à des chevaux de tirer des embarcations entre les écluses. On y trouve aujourd'hui une piste cyclable du réseau de la Route verte.

**Cage** n.f. Barge servant autrefois au transport des marchandises sur la rivière Richelieu. Elle était à double fond plat, l'un en bois mou en contact avec l'eau et facilitant la flottaison, et l'autre en bois franc comme plancher pour supporter la marchandise.

**Colinade** n.f. (du nom de Marcel Colin) Formulation laconique d'une critique ou d'un reproche sous forme d'une remarque incisive mais humoristique.

**Élof** n.m. ou f. (contraction d'élève officier) Étudiant du Collège militaire royal.

**Limoneux** n.m., **limoneuse** n.f., (de limon) Résident de la rive est de la rivière (la rive droite).

**Pirvir** n.m (nom propre) Lieu-dit de Saint-Valentin issu de la déformation de Pierre-Ville. Un chemin tortueux porte ce nom, ce qui sème une équivoque sur l'origine du mot (il vire, puis revire – «vire, pi-revire»).

**Seineux** n.m. (et parfois, **seineuse**, n.f.) (de seine, instrument de pêche, puis, le sens évoluant, vers « indiscret ») Résident de la rive ouest de la Richelieu (rive gauche).

**Verveux** n.m. (généralement utilisé au plur.) Nasse à anguilles constituée d'un filet de pêche en entonnoir.

| | |
|---|---|
| 1847 | Comtés / Sièges de comté / Premiers maires de comté:<br>Chambly — Village du canton de Chambly — John Yule (1812-1886) du Canton de Chambly<br>Huntingdon — Village de Laprairie — Alexandre-Désiré Sauvageau (1820-1857) de Sainte -Philomène<br>Rouville — Village de Christieville — Pierre Davignon (1810-1878) de Sainte-Marie-de-Monnoir |
| 1848 | Après quelque trois années de tractation, le village de Saint-Jean se détache du territoire de la paroisse Saint-Jean l'Évangéliste de Dorchester. |
| 1848 | Fondation du premier journal local, le *St.John's News and Eastern Township Advocate*, que les gens appelleront plus commodément « The News ». |
| 1850 | Fondation de la première académie destinée aux garçons. |
| 1852 | Fondation du St.John's High School pour les garçons anglophones. |
| 1853 | Construction de l'église Saint-Jean l'Évangéliste qui deviendra la cathédrale. |
| 1855-1981 | Création des comtés d'Iberville et de Saint-Jean et des municipalités de comté correspondantes. |
| 1855 | Comtés / Chefs-lieux de comté / Premiers préfets de comté:<br>Iberville — Village de Christieville — Charles-Joseph Laberge (1827-1874) du village de Christieville<br>Saint-Jean — Village de Saint-Jean — Joseph Delagrave du village de Saint-Jean |
| 1856 | Le statut de Saint-Jean évolue. Avec ses 3215 habitants, le village devient une ville. |
| 1858 | Revitalisation de la place du Marché de Saint-Jean par la construction des bâtiments actuels. En plus de servir au commerce, ces locaux abriteront l'essentiel de la vie civique, dont l'administration municipale. |
| 1859 | Saint-Jean devient chef-lieu du district d'Iberville et de ses environs. |
| 1859 | Christieville devient Iberville. |
| 1860 | Fondation du journal *Le Franco-Canadien* par Charles-Joseph Laberge, Félix-Gabriel Marchand et Isaac Bourguignon. En 1893, il fusionnera avec *Le Canada-Français*, nom sous lequel il est encore publié actuellement. |
| 1861 | Le 7 mars, le juge Polette procède à l'ouverture de la cour du palais de justice de Saint-Jean, dont la construction avait commencé deux ans plus tôt. |
| 1871 | Suite à un exode vers les États-Unis, le recensement constate une baisse de population dans la région. |
| 1871 | Installation de la première institution financière, la Merchants' Bank. |
| 1873 | Félix-Gabriel Marchand et Louis Molleur fondent la Banque de Saint-Jean qui imprimera ses propres billets de banque. |
| 1876 | Le 18 juin, c'est le Grand feu, un incendie détruit une partie importante du centre-ville de Saint-Jean. |
| 1876-1877 | Construction de la place de la Pompe, un complexe comprenant un poste de police, une caserne de pompiers et une prison municipale. |
| 1878 | Construction du grand bureau de poste de Saint-Jean. Ces locaux abritent désormais la Société d'histoire du Haut-Richelieu. |
| 1883 | Ouverture de l'Académie militaire au fort Saint-Jean, offrant des formations en infanterie, cavalerie et génie. |
| 1888 | Fondation de l'Hôpital de Saint-Jean dans l'hospice fondé par les Sœurs Grises. |
| 1902 | Électrification de la ville de Saint-Jean. |
| 1904-1906 | Construction de l'usine de la Singer. |
| | |

| | |
|---|---|
| 1911 | Fondation du Collège de Saint-Jean sur le site de la St-John's Stone Chinaware Co. |
| 1913 | La moitié est du territoire de Saint-Bernard-de-Lacolle, où se trouve la gare et que les gens appelaient Cantic, prend le nom de Notre-Dame-du-Mont-Carmel. |
| 1916 | Le statut de Saint-Jean évolue. La ville devient une cité. |
| 1917 | Inauguration du pont Gouin (14 septembre). |
| 1920 | Notre-Dame-du-Mont-Carmel se fractionne; la zone rurale garde le nom et le village prend le nom de Lacolle. |
| 1931 | Le ruisseau Jackwood est canalisé et son tracé légèrement sinueux deviendra celui du boulevard du Séminaire. |
| 1933 | Création du diocèse de Saint-Jean de Québec. L'église Saint-Jean l'Évangéliste devient une cathédrale. |
| 1934 | Monseigneur Anastase Forget est nommé premier évêque du diocèse de Saint-Jean. |
| 1936 | Fondation de l'École normale de Saint-Jean. |
| 1939-1945 | Construction de la Base militaire de Saint-Jean. |
| 1950 | Depuis toujours, les activités cynégétiques et halieutiques sont pratiquées dans la région et presque chaque village a son organisation de chasse et pêche, dont le niveau d'organisation était très inégal. Philodor Ouimet dote le Haut-Richelieu du premier véritable club de la région, l'Association de chasse et pêche de Saint-Jean et Iberville, qui poursuivra ses activités jusqu'en 1999. |
| 1952 | Ouverture du Collège militaire royal de Saint-Jean (15 septembre). |
| 1958 | Construction du pont Félix-Gabriel-Marchand. |
| 1962 | Fondé à Dorval en 1937, le club de Pêcheurs et chasseurs de Montréal, alors qu'il était parrainé par la compagnie CIL, s'établit définitivement dans ses quartiers à L'Acadie. Actuellement, l'association, qui est bien vivante, compte plus de 1000 membres. |
| 1968 | Fondation du Cégep de Saint-Jean dans les locaux du Séminaire. |
| 1970 | La Cité de Saint-Jean et la municipalité de paroisse Saint-Jean l'Évangéliste fusionnent et prennent le nom de Ville de Saint-Jean. |
| 1978 | À l'instigation du conseiller Jules Roy, la ville de Saint-Jean prend le nom de Saint-Jean-sur-Richelieu. |
| 1982- à ce jour | Création de la municipalité régionale de comté (MRC) Haut-Richelieu qui, pour la première fois, regroupe les deux rives de la rivière dans une même entité politique; elle a son siège à Iberville. |
| 1982 | Nomination de René Charbonneau d'Henryville comme premier préfet de la MRC. |
| 1984 | Première édition du Festival de montgolfières, qui est devenu le plus important au Canada et qui jouit d'une enviable réputation internationale. Depuis, Saint-Jean-sur-Richelieu est reconnu comme la Capitale des montgolfières. |
| 1989 | Saint-Jean-sur-Richelieu est l'hôtesse de la 13<sup>e</sup> Finale des Jeux d'été du Québec. |
| 1991 | Saint-Jean-sur-Richelieu est l'hôtesse du Championnat mondial de montgolfières. |
| 1993 | Le 12 juin, la MRC Haut-Richelieu dispose de ses derniers territoires non organisés. Elle procède, pour ce faire, à l'extension des limites de juridiction de six municipalités aux cours d'eau de leur territoire : Henryville, Saint-Blaise-sur-Richelieu, Sainte-Anne-de-Sabrevois, Noyan, Saint-Athanase et Saint-Paul-de-l'Île-aux-Noix. |
| 1995 | Fermeture du Collège militaire royal. |
| 2001 | Le 24 janvier, le député Roger Paquin obtient le décret de création de la nouvelle ville de Saint-Jean-Iberville, née de la fusion d'Iberville, de L'Acadie, de Saint-Athanase, de Saint-Jean-sur-Richelieu et de Saint-Luc. Le 16 mai, le nom est changé pour Saint-Jean-sur-Richelieu. Le premier maire est Gilles Dolbec. |
| 2006 | Création du Consortium économique régional le 26 avril 2006 pour favoriser le développement durable du milieu, notamment via des projets régionaux structurants. Ses administrateurs sont Christiane Marcoux, Sylvie Lacroix et Édouard Bonaldo. |



## Population (2005)

| | | | |
|---|---|---|---|
| Henryville | 1 522 | Sainte-Brigide-d'Iberville | 1 263 |
| Lacolle | 2 465 | Saint-Georges-de-Clarenceville | 1 118 |
| Mont-Saint-Grégoire | 3 080 | Saint-Jean-sur-Richelieu | 83 900 |
| Noyan | 1 139 | Saint-Paul-de-l'Île-aux-Noix | 1 988 |
| Saint-Alexandre | 2 494 | Saint-Sébastien | 799 |
| Saint-Blaise-sur-Richelieu | 2 016 | Saint-Valentin | 495 |
| Sainte-Anne-de-Sabrevois | 1 991 | Venise-en-Québec | 1 354 |
| | | MRC Haut-Richelieu | 105 624 |

## Milieu physique

| MRC Haut-Richelieu | |
|---|---|
| Superficie | 932 km$^2$ |
| **Rivière Richelieu** | |
| Longueur totale | 171 km |
| Largueur moyenne (entre Saint-Jean et Saint-Paul) | 274 m |
| **Mont Johnson (ou Saint-Grégoire)** | |
| Hauteur | 265 m |
| **Canal de Chambly** | |
| Longueur | 18,96 km |
| Nombre d'écluses | 9 |
| Dénivellation | 24,38 m |
| **Climat continental humide** | |
| Précipitations en pluie | 850 à 962 mm/an |
| Précipitations en neige | 199 à 260 mm/an |
| Jours avec précipitations | 154 jours/an |
| Saison végétative | 212 jours/an |

| Température | Maximum | Minimum | Moyenne |
|---|---|---|---|
| Janvier | -7 °C | -15.8 °C | -10,0 °C |
| Avril | 7,6 °C | -0,8 °C | 4,2 °C |
| Juillet | 24,8 °C | 14,4 °C | 21,0 °C |
| Octobre | 10,7 °C | 2,9 °C | 6,8 °C |

| Flore | |
|---|---|
| Climax (forêt typique) | Érablière à caryer |
| Principales essences arborescentes | Érable, Carver, Hêtre, Bouleau, Tilleul, Chêne, Pin, Épinette, Pruche |
| La plus petite fleur au monde | Wolffia (seulement à Saint-Paul-de-l'Île-aux-Noix) |
| Surfaces boisées | 11 490 hectares<br>11,53 % du territoire |
| Nombre d'espèces de plantes | Plus de 800 espèces (répertoire incomplet) |
| **Faune** | |
| Espèces d'oiseaux | 80 (en révision) |
| Espèces de reptiles | 13 (en révision) |
| Espèces d'amphibiens | 17 (en révision) |
| Espèces de poissons | 61 (en révision) |
| Espèces de mammifères | 41 (en révision) |

| Distance de... | | | |
|---|---|---|---|
| Boston | 499 km | Philadelphie | 750 km |
| Chicago | 1376 km | Québec | 248 km |
| Detroit | 947 km | Sherbrooke | 156 km |
| Montréal | 37 km | Toronto | 552 km |
| New York | 594 km | Washington | 953 km |

ALLAN Walter D. et al, *The Charlton Standard Catalogue of Canadian Bank Notes*, 3e éd., The Charlton Press, Birmingham MI et Toronto ON, 1996, 524 p.

BARON Nancy, GAUTHIER Sylvain, GOULET Chantal, GUÉRIN Carole, *Cap sur le Richelieu – Guide nautique*, Éditions Mille Roches, Saint-Jean-sur-Richelieu, 1985

BEAUREGARD-ROY Doris, LA TERREUR André, PARÉ Roland, *La Montérégie – Atlas régional*, Commissions scolaires de Brossard, Greenfield Park, Jacques-Cartier, Montfort, Saint-Exupéry et Taillon, Longueuil, 1989, 48 p. (plus des cartes)

BELL (compagnie de téléphonie) *Bottin téléphonique 2006 – Haute-Yamaska, Haut-Richelieu, St-Jean et environs*, Groupe Pages Jaunes, 2005, pagination multiple.

BRAULT Pierre, *Histoire de L'Acadie du Haut-Richelieu*, Éditions Mille Roches, Saint-Jean-sur-Richelieu, 1982, 316 p.

BROUILLET, Luc, MARIE-VICTORIN É.C., *Flore laurentienne – Manuel*, 3e édition, Gaëtan Morin Éditeur, Montréal, 2002.

FILION Mario, *En remontant le Richelieu – Découvrir les noms de lieux*, Éditions Passé présent, Chambly, 1988, 128 p.

FILION Mario, *Les Municipalités de la Montérégie – Évolution juridique, territoriale et toponymique (1845-1993)*, Éditions Passé présent et Mario Filion, Chambly, 1994, 128 p.

FILION Mario, FORTIN Jean-Charles, LAGASSÉ Robert, LAGRANGE Richard et al, *Histoire du Richelieu-Yamaska-Rive Sud*, IQRC, Québec, 2001, 559 p.

FILION Mario et al, *Itinéraire toponymique de la Vallée du Richelieu*, coll. Études et recherches toponymiques #10, Gouvernement du Québec, Québec, 1984, 61 p.

FORTIN Lionel, *Les Municipalités du Haut-Richelieu – Des origines à nos jours*, Lionel Fortin Éditeur, Saint-Jean-sur-Richelieu, 1996, 237 p.

FORTIN Réal, THÉBERGE Jean-Yves, *La MRC du Haut-Richelieu – D'hier à aujourd'hui*, Éditions Mille Roches, Saint-Jean-sur-Richelieu, 1984, 47 p.

LABBÉ André et al, *Montérégie – Connaissance régionale*, Gouvernement du Québec, Québec, 1984, XVII p. – 216 p.

LOISELLE Jean, f.m.s., *Une Tradition qui se perpétue – Historique de l'École Marcellin-Champagnat, Iberville (1885-2002)*, École secondaire Marcellin-Champagnat, Saint-Jean-sur-Richelieu, 2002, 58 p.

MARTIN-VERENKA Nicole, *Il était une fois… L'Acadie*, Il était une fois… Une Petite Colonie, Saint-Jean-sur-Richelieu, 2001, 58 p.

MRC Haut-Richelieu, *Schéma d'aménagement*, MRC Haut-Richelieu – service de l'aménagement, 1986, 83 p. (plus des annexes et des cartes)

OUELLETTE Nichole, *Flore laurentienne (du frère Marie-Victorin)*, ________ Nichole Ouellette et Chenelière Éducation, juin 2006

POUSSARD Claudie, *Saint-Jean-sur-Richelieu – Les Éléments fondamentaux*, Division-conseil communications de la Ville de Saint-Jean-sur-Richelieu, Saint-Jean-sur-Richelieu, 2003, 35 p.

THÉBERGE Jean-Yves, *Le Haut-Richelieu, nouvelle bibliographie*, Musée du Haut-Richelieu, Saint-Jean-sur-Richelieu, 2003, 113 p.


| Municipalité | An | Résidentiel | | Commercial, industriel, institutionnel | | Agricole | | Autre | |
|---|---|---|---|---|---|---|---|---|---|
| | | # | $ | # | $ | # | $ | # | $ |
| Henryville | 2004 | 577 | 43 342 800 | 59 | 9 136 700 | 153 | 64 806 600 | 122 | 915 700 |
| Lacolle | 2002 | 958 | 69 338 200 | 156 | 24 167 000 | 141 | 27 688 500 | 223 | 1 736 600 |
| Noyan | 2004 | 772 | 42 825 900 | 39 | 2 649 700 | 97 | 30 732 500 | 237 | 1 962 100 |
| Mont-Saint-Grégoire | 2003 | 693 | 99 654 400 | 57 | 15 112 400 | 221 | 59 701 200 | 102 | 1 837 300 |
| Saint-Alexandre | 2002 | 712 | 56 457 300 | 30 | 8 843 000 | 203 | 58 966 600 | 67 | 1 494 700 |
| Saint-Blaise-sur-Richelieu | 2001 | 834 | 61 914 500 | 69 | 8 161 600 | 190 | 42 010 500 | 190 | 1 094 600 |
| Sainte-Anne-de-Sabrevois | 2004 | 799 | 65 431 200 | 64 | 8 660 600 | 110 | 40 633 000 | 153 | 1 011 800 |
| Sainte-Brigide-d'Iberville | 2004 | 364 | 34 123 900 | 39 | 10 231 200 | 208 | 79 267 000 | 52 | 1 372 500 |
| Saint-Georges-de-Clarenceville | 2002 | 714 | 45 257 100 | 44 | 3 394 900 | 134 | 29 695 800 | 206 | 3 321 800 |
| Saint-Jean-sur-Richelieu | 2005 | 24 352 | 2 896 757 900 | 1 438 | 608 885 120 | 439 | 134 181 000 | 4 358 | 642 542 000 |
| Saint-Paul-de-l'Île-aux-Noix | 2003 | 1 088 | 71 427 700 | 66 | 18 628 600 | 62 | 18 204 200 | 189 | 2 442 800 |
| Saint-Sébastien | 2004 | 192 | 15 627 800 | 23 | 4 524 800 | 166 | 71 216 200 | 18 | 1 112 800 |
| Saint-Valentin | 2001 | 139 | 9 729 300 | 11 | 24 419 700 | 92 | 2 628 000 | 13 | 85 600 |
| Venise-en-Québec | 2002 | 970 | 72 676 100 | 47 | 8 419 300 | 12 | 2 630 000 | 378 | 3 044 700 |
| MRC (moins Saint-Jean-sur-Richelieu) | | 9 074 | 687 806 200 | 704 | 146 349 500 | 1 789 | 528 180 100 | 1 950 | 21 433 000 |
| MRC (total) | | 33 426 | 3 584 564 100 | 2 142 | 755 234 620 | 2 228 | 662 361 100 | 6 308 | 663 975 000 |
| | | | | | Total | 44 104 unités d'évaluation | | 5 666 164 820 $ | |


La réalisation de cet ouvrage aurait été impossible sans le travail logistique mais, plus encore, sans le soutien indéfectible de Micheline Hamelin-Tremblay à qui nous voulons témoigner notre profonde gratitude.

C'est avec empressement que Pierre Baillargeon a accepté de nous offrir l'avant-propos; nous le remercions pour cette précieuse contribution.

Nous remercions Johane Gagnon qui a réalisé la traduction anglaise ainsi que Suzanne Kaprowski, Sheila Crawford et George Crawford qui ont collaboré à sa révision. Merci à Alberto Iscla, Alicia Iscla, Teresa Pilon et Luciano Vidali pour le texte en espagnol et à Fernande Tavarès et Maria Vieira pour celui en portugais. Merci également à Johane Gagnon pour la révision de tous les textes et à Luciano Vidali pour la réalisation des cartes géographiques qui figurent sur la couverture.

Plusieurs personnes ont collaboré à l'aspect documentaire, à la réalisation ou à l'évaluation de la mise en page. Merci à Yvon Bédard, Jacques Bélisle, Annie-Claude Bossé, Clarisse Brault, Gertrude Choquette-Tremblay, Marguerite Deneault, Sylvie Deschênes, Jean-Pierre Guillet, Francine Hamelin, Serge Hamel, Joanne Hamelin-Beaudry, Daniel Langlois, Maurice Langlois, André Larochelle, Johanne Lorion, Bruno Marchand, Réal Ouimet, Alexis Paquette, Jérôme Proulx, Nadine Réon, Annie Tremblay, Paul Tremblay, Marc-Olivier Trépanier, Luc Van Velzen et François Villeneuve.

Nous voulons aussi signaler la contribution de personnes qui ont aidé aux aspects techniques ou à l'obtention de permissions pour réaliser les photos : Jacques Beauchemin, Daniel Béland Marcel Bergeron, Josée Bertrand, Réal Boulanger, Léo Boutin, Denis Charbonneau, George Crawford, Josey Croze, Gérald Delisle, Gloria Delisle, Denis Deslandes, les élèves de l'ESMC, André Foisy, Marylène Gagnon, André Gamache, Gilles Gemme, les joueurs de hockey du Bantam B.B., Mario Lambert, Yvonne Mercier, Pierre Michaud, Yvon Landry, Louis Lapointe, Nicole Levesque, Luc Lippé, Fernand Ostiguy, Christine Racicot, Gilles Robert, Francine Sylvestre, Rémy Tougas, Ange-Albert Tremblay, Marie Tremblay, Christian Vago. Merci enfin à Anne Potvin de la Ville de Saint-Jean-sur-Richelieu, à Éric Bélanger du Conseil économique du Haut-Richelieu (CLD), ainsi qu'à Johanne Saulnier de la MRC Haut-Richelieu.

**B A N Q U E   D E   P H O T O S   P A N O R A M I Q U E S   I N T E R N A I O N A L E S**

Photos :
d'architectures
commerciales
touristiques
de groupes

Westinghouse, Saint-Jean-sur-Richelieu

Palais des vents, Jaipur, Inde

Cathédrale Saint-Marc, Venise, Italie

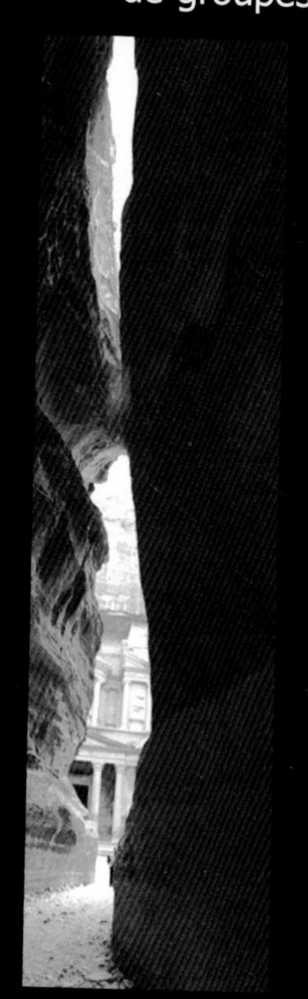

Pétra, Jordanie

Basilique Notre-Dame
Montréal

*Clients :* Microsoft Corp. - I.B.M.Corp. - Air Canada - El Al - Les Parfums Guerlain (Genève) - P. Baillargeon Ltée. DCYSM Architecture & Design - Parcs Canada - Offices du tourisme de : Charente-Maritime (France), Chypre, Inde, Israël, Malte et Suisse - Bibliothèque nationale d'Ottawa - Commissions de la capitale nationale d'Ottawa et de Québec

Les photos de Denis Tremblay sont utilisées par différents éditeurs et publiées par Les Éditions panoramiques Denis Tremblay, division de Labtex inc.

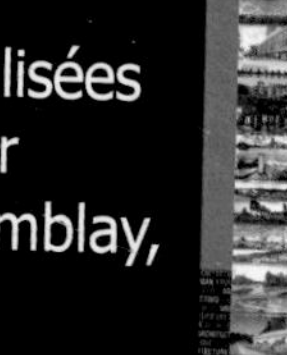

1996-2007

www.denistremblay.com

www.photopanoramic.com

Kaba Kabasu Kaech Kagerer Kaigle Kaiser Kaiser Kraehenbuehl Kalille Kamil Kanash Kane Kante
rowski Karam Kardash Kardos Kassab Kastelberger Katompa Katsanis Katsouros Keeper Keita
er Kelly Kemp Kendall Kennedy Kenney Kenny Kenscoff Kerley Kernen Kéroack Keroack
ouack Kerouack Kerr Kerry Kershaw Kessler Keurentjes Khan Khatchadourian Khawan Khoury
der Kierulf Killman Killoran Kilsdonk King Kingsbury Kipps Kirkpatrick Kirouac Kirouack Kiss
assen Klï Klein Klingeleers Klingshirn Klinkig Knight Knuchel Kbiolka Koch Kœnig Kœppler
nery Koolen Kosh Kosko Koszegi Koter Kotchounian Kouzouka Kovacevic Kovacs Kowal
valyszyn Krager Krahenbuhl Krajewski Krans Kraus Krause Krueger Kruger Kruse Krzelowski
panda Kucharski Kucyk Kudra Kulczyk Kuntze Kurtness Kuster Kutter

Labarre Labbe Labbé L'Abbée Labeaune Labeca Labelle La Belle Laberge Labonne Labonté
borde Labossière Laboure Labranche Labre Labrèche Labreche Labrecque Labrèque Labrie
brosse Lacaille Lacas Lacasse Lacelle Lacerte Lachaine Lachaîne Lachambre Lachance
hances Lachapelle Lacharité Lacombe Lacoste Lacourse Lacoursiere Lacoursière Lacroix La Croix
lansky Ladouceur Ladurantaye Lafaille Lafantaisie Laferrière Laferriere La Ferté Lafetière
euille Lafferty Laflamme Laflèche Lafleur Lafmier Lafond Lafontaine La Fontaine Laforce
orest Laforge Lafortune Laframboise Lafrance Lafranchise Lafrenaye Lafrenière Lafreniere
resnière Lagacé Laganière Laganiere Lagarde Lagassé Lagüe Laguë Lague Lagueux Lahaie
haye La Haye Lainesse Lajeunesse Lajoie Lakaf Lalancette Lalande Lalanne Laliberté Laliberte
lemand L'Allier Lalonde Lalongé Lalumière Lalumiere Lam La Madeleine Lamarche Lamare
marine Lamarre Lamas Lamb Lambert Lamer Lamirande Lamon Lamond Lamonde Lamont
montagne Lamothe Lamotte Lamouche Lamouline Lamoureux Lamploy Lampron Lamy Lance
nciault Lanctôt Lanctot Landreville Landriau Landriault Landry Landstrom Landty Lane Lang
ngdeau Lange Langelier Langella Langevin Langguth Langis Langlais L'Anglais Langlois Langolf
ngton Languedoc Laniel Lanno Lanoie Lanoue Lanouette Lantagne Lanteigne Lanthier Lantin
nycia Lapalme Laparé Lapatrie La Penna Lapensée Laperle Laperrière Lapierre Laplaine Laplante
pointe Laporte Laprade Lapré Laprés Laprise Laquerre Lara Laramé Laramée Laramee L'Archer
rdeux Lareau Larheryeb Larin Larivée Larivière Laroche Larochelle La Rochelle Larocque
Rocque Larocques Larose Larosée Larouche Larrivée Larsen Larue La Salle Lasalle Laserra
sfargues Lasnier Lassonde Lataille Latendresse Laterreur Lathe Latimer Latour Latraverse
treille Latulipe Latulippe Launiere Laurain Laurence Laurendeau Laurent Laurenzi Lauriault
urie Laurier Laurin Laurion Lauture Lauzier Lauzière Lauzon Lavallé Lavallée Lavallière Lavariere
varière Laverdière Laverdiere Laverdure Lavergne Laverriere Laverrière Lavertu Lavertue
vesque Lavigeure Lavigne Lavigueur Laviolette Lavoie Lavoie Pallentier Law Lawrence Lawson
wton Laz Lazcano Lazure Leary Leavey Leavy Lebak Lebeau Lebeault Lebel Le Bel Lebert Lebeuf
blanc Le Blanc Leblanc Dit Dalpé Leblond Leboeuf Lebouthillier Le Brasseur Le Breton Lebreux
brun LeBrun Le Calvé Lecault Lecavalier Lechasseur Leclair Le Clair Leclaire Leclerc Lecompte
comte Leconte Lecorre Lecouffe Lecours L'Écuyer L'Ecuyer Lécuyer L'écuyer Lecuyer Ledain
doux Ledoyen Ledrew Leduc Lee Leeke Lefaivre Lefebre Lefebvre Lefevbre Lefèvre Le Floch
floch Lefort Lefrançois Lefrancois Lefstein Legall Le Gall LeGalle Légaré Legare Legault
geaultLegendre Léger Leger Légère Legge Lego Le Gohebel Legoupil Legrand Legris Legros
guay Lehmann Lehoux Lehto Leith Lejeune Lejour Lelièvre Lemaire Lemaistre Lemarier Lemay
May Lemelin Lemenu Lemieux Lemire Lemmens Lemmo Lemoine Lemonde Lemonnier Lemoy
moyne Lemyre Lenard Lencz Lenfesty Lennie Lennox Lenoir Leonard Léonard Leonelli Lepage Le Page
Le Pain Lepain Lepiez Lépine Lequin Le Roux Leroux Leroy Le Royer Lesage Lescarbeau Lescieux
Lescrainier Le Sieur Lesieur LeSieur L'Espérance Lespérance Lessard Lessnick Lestage L'Estage
Letarte Letellier Letendre L'Étoile Létourneau Letourneau Letovanec Letovanic Lettre Leue Leunes
Leute Levac Levasseur LeVasseur Levck Levedakis Leveillé Léveillé Léveillée Leveque Levert
Levesque Lévesque Levesques Lévis Levreau Levreault Lévy Lewin Lewis L'Héreault L'Herault
L'Heureux L'Homme Liano Liard Libersan Liboiron Liebelt Limoges Lincourt Ling Linkutis Liotta
Lippé Lirette Lisi Lisiecki Liskakis L'Italien Litalien Littlefield Livernoche Livernois Lizé Lizée Lizotte
Lobet Locas Loffredo Logan Logier Lôheureux Loignon Loiseau Loisel Loiselle Loiseux Lombart
Lomme Londei Londero Lonergan Long Longangué Longato Longchamp Longpré Longtin Looby
Lopez Lorand Lorange Loranger Lord Lorenz Lorion Lorquet Lorrain Lortie Loschiavo Losier
Lottinville Loubert Loubier Louis Louis-Seize Louvet Lowndes Loyer Luca Lucas Lucia Lucier Luis
Lukassen Lun Lundrigan Luneau Lupien Luraschi Lusignan Lusignant Lussier Lutchmanen Luthi
Lutz Lux Luzano Ly Lyamani Lyle Lymburner Lynch Lyonnais Lyons

Macaluso MacCallum Mac Callum Maccallum Macczak MacDonald Macdonald Mac Donald
Mac Dougall Mace Macfarlane Mac Farlane MacFarlane Mac Gillivray Macgillivray Machemin Mackay
Mac Keigan MacKenzie Mac Lean MacLennan Macleod Madison Madore Maduz Mady Maedler
Maedler-Kron Maeng Magas Magash Magee Magman Magnin Maguisset Maher Maheu
Maheux Maiello Maier Maiger Mailhiot Mailhot Maillé Maillet Maillette Mailloux Mailloux-Fardeau
Mailly Mainguy Mainville Maisonneuve Majeau Major Malchelosse Malenfant Malette Malfait
Malhotra Maligne Mallet Mallette Malo Malone Maloney Malot Malouin Maltais Mam Mamay Mamers
Mandou Mandron Mangiante Manhart Mannheim Manning Manny Manocchi Manouvrier Mansart
Manseau Mansell Mansi Mant Mantha Many Mao Maranda Marboeuf Marcantonio Marceau
Marchand Marchessault Marchesseault Marchildon Marcil Marcinkowska Marcotte Marcotty
Marcoux Maréchal Marechal Marrenger Marengere Marengos Mariage Marie Marien Marier
Marin Marineau Maringer Marinier Marino Marion Marisseau Marjenek Marleau Marley Marmen
Marois Marotta Marques Marquette Marquis Marrisette Marsan Marseille Marshall Marsolais
Marson Marzalek Martel Martial Martin Martindale Martineau Martinello Martines Martinet Martins
Marwitz Marziali Maskell Masliah Masoni Massad Masse Massé Masseau Massey Massia Massicotte
Massie Massignani Masson Massotti Massy Maston Mastrogiuseppe Mastrostefano Matesi Matheis
Mathieu Mathon Mathurin Matineau Matitia Matsubara Matt Matte Matteau Matthieu Matthyssen
Matton Mauboussin Mauger Maure Maurice Mavrovic Maybee Mayénard Mayer Maynard Mayrand
Mayville Mazeau Mazerolle Mazoyer Mazurette Mazzone Mc Aleer McAleer Mcallister Mc Alpin
McAlpine Mcara Mc Ardle McAvoy Mc Bratney Mcburney Mccabe McCaffrey Mccann Mc Carragher
McCarron Mc Carthy McCarthy Mccartney McCaughan McCauliff Mc Cauliff Mc Clay Mc Clelland
McClelland McCloskey Mcclure Mc Collough McComb Mccoo McCool Mc Craw Mcculloch Mc Cutcheon
Mccutcheon McCutcheon Mc Dermoth McDermoth Mcdermott Mc Dermott McDonald Mc Donald
Mcdonald McDonough Mcdougal Mc Duff McDuff Mc Elligott McElroy Mcendree Mc Farland McGee
Mc Gee Mcgee Mcgowan Mc Grail Mcgrail Mc Graw Mcgraw Mc Gregor McGuire Mcguire Mc Gurrin
McIntyre Mcintyre Mc Intyre Mckay Mc Kay Mc Kelvey Mckelvey Mc Kenna Mckenna Mckinnon
McKnight Mc Laughlin McLaughlin Mclaughlin McLean Mclean Mc Lean Mcmahon Mc Manus
McMenamin Mc Millan Mc Mullen Mcmurray McMurray Mcnall McNally Mc Nally Mcnamara
McNamara Mc Naughton McNeil Mc Neil McNicholl Mc Nicoll Mc Nulty McNulty Mcnulty McPherson
Mcquillen McQuillen Mc Quillen Mc Sorley Mc Williams Mcwilliams Mead Meany Mechain Medeiros
Médeiros Medina Meehan Meeuws Meggarou Megin Mégré Mehaignerie Mei Meikle Meilleur
Mejia Melançon Melanson Melaven Mélillo Melillo Melo Meloche melot Ménard Menda Mendaglio

Mendes Mendey Menger Mercier Mercille Mercure Mercury Mérette Merette Mérineau Meritet Méritet Merizier Merizzi Merkl Merlo Mertn Mesot Mesquita Messier Metayer Méthé Methe Méthot Métivier metras Métras Metras Mtri Meunier Meynard Michas Michaud Michaudville Michel Michelin Michelot Mickel Mickerson Miclette Miehe Mignacca Mignault Migneault Mihaluk Mikalosky Mikula Mikulis Milaenen Milano Milburn Miles Milette Millaire Millan Miller Millette Milliard Millichamp Millier Millot Mills Milne Milone Milonopoulos Milot Mimeault Minaki Minguet Minguy Minko Minna Mino Minville Moi Miousse Mirak Mireault Miron Mish Misiaszek Miszczak Mitchell Mitric Miville Moafi Mocthezuma Moffet Moffette Moisan Molien Molinaro Molinghen Molla Molleur Molloy Mombleau Mommaerts Monaghan Monami Monarque Monast Monat Monbourquette Moncaster Mondat Mondor Mondou Monet Monette Mongeau Mongeon Mongo Monier Moniqui Moniz Monnier Monnière Monpetit Montagne Montana Montbleau Montcalm Montesano Montiel Montigny Montmarquet Montminy Montour Montoya Montpas Montpetit Montplaisir Montreuil Monty Mony Moore Moores Moquin Morache Moraes Moraga Morais Moralle Moran Morand Morasse Morazain Moreau Moreault Morehouse Moreira Morel Morelli Morency Moréno Morf Morgan Morganti Morier Morin Morisette Morisset Morissette Morneau Moro Morrier Morris Morrison Morrissette Morrow Morse Morvan Moscatel Moschetti Moses Mosgroue Mosher Mota Mouland Moulanier Moulin Moureau Moussa Moussali Moussalli Moussally Moussaly Mousseau Mousty Mueller Muia Mullen Muller Müller Mullie Mullin Mullins Muloin Munch Mundanikire Mundy Munger Munk Munro Muong Muraton Murchie Murie Muriel Murillo Murphy Murray Muzzi Myers Myles

Nadeau Nadia Nadon Nagano Nagant Nagel Nagy Nahas Nakich Nankivell Nantel Napert Napoleon Naquet Martel Narbonne Naslafkih Nassar Naud Naulleau Nault Navert Neale Neault Neel Neeser Neidere Nelson Néolet Neptune Nepveu Nero Néron Neron Neumann Neuville Neveu neveu Neville Newman Newton Nguon Nguyen Nicholas Nicholson Nichol Nicolas Nicolay Nicole Nicolosi Nicolson Nicorici Niedbalski Niemi Nieuwendijk Nihon Nimijean Niquette Niro Nissen Nith Nixon Noally Nobert Noble Noël Noel Nœser Noiseux Nolet Nolette Nolin Normand Normandeau Normandin Normil Northon Notargiacomo Noury Novel Nucciaroni Nuñez

Obiang O'Cain O'Connel Odell O'Dwod Odin-Feller Œsterreich Oftafychuck Oger O'Harro Ojeda Okwe Oldford O'Leary Oligny Oliva Olive Oliveira Oliver Olivier Olivier Adlhoch-Olivieri Ollassa Olscamp Olsen Olsthoorn O'Neill Onesti Orberger Orphanos Orsini Ortega Estrada Ortiz Orzes Oschmann Ostafichuck Ostafichuk Ostiguy Ostinguy Otis Ottavi Ouelette Ouellet Ouellette Ouerfelli Ouhab Ouimet Ouimette Ouvrard Oxsengendler

Pacheco Padner Padula Pagé Page Pageau Pagliericci Paiement Paillé Pajonas Palardy Palin Palma Palmer Palstra Panacui Panneton Pannitti Papillon Papin Papineau Papoulias Paquet Paquette Paquin Paradis Paramanoff Pardiac Pardy Paré Pare Parent Parenteau Paris paris Parise Parisé Pariseau Parisien Parizat Parizeau Parker Parkinson Parmentier Parr Parry Parsons Partridge Pascaud Pascoal Paskaryk Pasqualino Patenaude Pateneaude Paterson Patoine Patric Patrick Patry Patterson Paul Paul- Hus Paulhus Paulin Pauthe Pauzé Pavez Pavlov Payant Payen Payer Payette Payeur Payment Pazzi Peace Pearron Pearson Pech Pecheco Pedeni Pedersen Pedneault Peeters Pélado Pelan Pelanconi Pelbois Pelchat Pelkonen Pelland Pellégrino Pellerin Pelletier Pelletier Crichton Peloquin Péloquin Pelosse Pelow Peltier Pelz Pendleton Penhorwood Penna Pennet Pensivy

Penven Pépin Pepin Percevault Percy Pereault Pereira Peres Perez Pergallino Périard Périll Perks Perlini Péron Peron Perras Perrault Perrea Perreault Perrée Perret Perretta Perricone Perr Perron Perry Pertschy Pérusse Pesant Petelle Peterkin Peters Petiot Petit Petitclerc Petitje Petitpas Petrican Pétrin Petrin Petroziello Petrozza Petrus Pettigrew Petulli Pfaff Pham Ph Phaneuf Pharand Phenix Phénix Philibert Philie Philipert-Legault Philippe Philippon Philipps Phil Phillips Phimsarath Phœnix Phommachanh Phourakis Piacentini Picard Picciuto Piché Pic Pichébelanger Pichette Pickup Picotin Picotte Pié Piédalue Piekutowski Pierre Pierre Louis Piers Pietramala Pietrantonio Piette Pigeon Pignatel Pilkington Pillarella Pillotte Pilon Pilote Pilo Pimpare Pimparé Pinard Pinault Pine Pineau Pineault Pinel Pinet Pinette Pinsoneault Pinsonna Pinsonneault Pinzari Pion Pipon Piquette Pires Piringer Pirro Pirson Pirson-Moreaux Pisano Pite Piton Pitre Pitzul Pivin Pizio Plamondon Planet Plantard Plante Plasse Platonow Plitnikas Plon Plouffe Plourde Pluck Pluk Poce Poiré Poirier Poirrier Poissan Poissant Poisson Poitras Poko Polidoro Polifroni Poliquin Polito Pollak Pollender Pollitt Pollock Polnicky Polonia Pombert Pom Pomerleau Pominville Pommainville Pommay Pomminville Ponthieu Ponton Popa Popovic Popowich Porlier Portelance Porter Potel Pothier Potteau Potvin Poudrette Poudrier Poulain Poul Poulin Pouliot Poulizac Poupart Pourbaix Poussard Poutré Poutre Power Pozzoli Prairie Pratt Prat Précourt Préfontaine Prefontaine Prégent Prémont Prenoveau Prescari Prescott Pressé Pressea Presseault Pret Préville Prevost Prévost Prézeau Prieur Prillo Primard Primeau Primmerman Princ Princeville Priou Pronovost Prosser Proteau Proulx Provençal Provencher Provost Prud'Homm Prud'homme Pruneau Psaila Pulcini Purkhardt Puttock

Qasemi Quenneville Querry Quéry Quesnel Quessy Quevillion Quevillon Quezel Quimper Quin Quintal Quinton Quinty Quirion Quoibion Qureschi

Raaymakers Rabbath Rabouin Raby Racette Racicot Racine Racz Radoux Rahill Raîche Raiche Raineri Rainville Rajotte Ralph Rameau Ramié Ramsay Ramsli Ranalli Rancourt Randall Randazzio Randazzo Randoll Ranger Rao Rapetti Raposo Rassa Rassart Ratelle Rathé Rathe Ratté Rattray Rauzon Ravary Ravenelle Ravnelle Ravon Raybould Raymond Raynault Razik Rebagay Rebbache Reda Reddy Redling Redondo Reece Reed Reeder Reese Reeves Regan Regimbal Reginster Régnier Regnier Rego Rehaume Rehel Reid Rejas Reimnitz Reinlein Reis Reisenburg Reiss Reitmans Remacle Rémillard Remillard Rémilliard Remington Remoissenet Renald Renauc Rendacé René Reneaud Reneault René De Cotret Renshaw Réon Resendes Rever Revoredo Reynolds Rheault Rhéaume Rheaume Ribeiro Riberdy Ricard Rice Richard Richards Richardson Richer Richer de la Fleche Richert Rideout Ridorossi Rieck Riel Riendeau Rigg Riley Ringuet Ringuette Rinkenbach Riopel Rioux Ripas Ripley Riposo Riquier Ritcher Ritchie Ritchot Rivard Rivera Riverin Rivers Rivest Rivet Riviere Rivoallan Rizk Rizzo Robbins Roberge Robert Roberts Robertson Robichaud Robidas Robidoux Robillard Robin Robinson Robitaille Roby Roch Rochat Roche Rochefort Rocheleau Rochette Rocheville Rochfort Rochon Rock Rockwood Rocque Rocray Rodgers Rodi Rodier Rodrigue Rodrigues Rodriguez Roffe Roger Rogers Rogowski Rohm Roireau Rojas Rokas Rolland Rollin Rollo Romagno Roman Rome Roméo Romero Roméro Romme Rompré Rondeau Roney Rood Roquebrune Rosa Rosamilia Rosay Rosciszewski Rose Roseberry Ross Rossi Rossignol Rossiter Rosso Roth Rouette Rougeau Rouilier Rouillard Rouiller Rouillier Rouisse Rouleau Roulier Roumeliotis Rouse Rouselle Rousseau Rousseaux Roussel Rousselet Roussell Rousselle Roussin Roussy Rousy Routhier Rouves Roux Roviezzo Rowan Rowe Roy Royal Royer Rozon